小牛顿科学馆 全新升级版

黄金

HUANGJIN

台湾牛顿出版股份有限公司 编著

接力出版社
Publishing House

桂图登字：20-2016-224

图书在版编目（CIP）数据

黄金／台湾牛顿出版股份有限公司编著．—南宁：接力出版社，2017.7（2024.1重印）
（小牛顿科学馆：全新升级版）
ISBN 978-7-5448-4930-2

Ⅰ.①黄…　Ⅱ.①台…　Ⅲ.①金－儿童读物　Ⅳ.①O614.123-49

中国版本图书馆CIP数据核字（2017）第145937号

责任编辑：程　蕾　　郝　娜　　美术编辑：马　丽
责任校对：王　蒙　　责任监印：刘宝琪　　版权联络：金贤玲
社长：黄　俭　　总编辑：白　冰
出版发行：接力出版社　　社址：广西南宁市园湖南路9号　　邮编：530022
电话：010-65546561（发行部）　　传真：010-65545210（发行部）
网址：http://www.jielibj.com　　电子邮箱：jieli@jielibook.com
经销：新华书店　　印制：北京瑞禾彩色印刷有限公司
开本：889毫米×1194毫米　1/16　　印张：4　　字数：70千字
版次：2017年7月第1版　　印次：2024年1月第11次印刷
印数：69 001—76 000册　　定价：30.00元

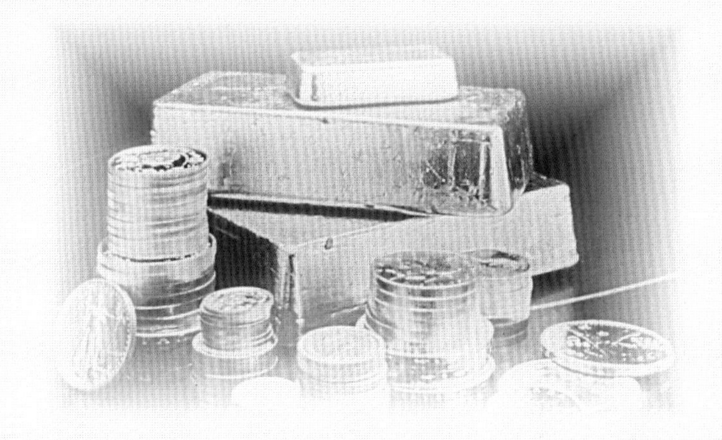

科学主题馆

漫游科学园

妙趣实验室

写给小科学迷

早在5000多年前，人类就已经知道使用黄金了。黄金一直深受人们的喜爱，因为拥有越多的黄金，就表示拥有越多的财富。黄金从开采到成品的完成，可谓历经千辛万苦、千锤百炼，难怪稀有又珍贵。除了做装饰品、保值外，中医的针灸针、镶牙齿都可使用黄金哟！此外，黄金还有哪些用途你知道吗？快来一起加入闪闪动人、璀璨耀眼的黄金之旅，你就能更了解它的奇特之处了。

闪闪动人的贵金属——黄金

什么场合你会看到人们使用黄金呢？喜庆宴会上，人们常会戴上黄金饰品，使会场充满喜气，也常常看到人们购买金币、金条保值。中医用的针灸针可使用黄金制造，黄金甚至也是镶牙齿的材料。原来黄金的用途这么广泛，人们何时发现黄金的价值，而黄金又是怎么来的呢？一起来了解吧！

图片来源：世界黄金协会

从古到今，黄金大多用于装饰。印度和中国一样，女孩出嫁当天也都以黄金来装饰自己。

这是日本一家饭店内的纯金浴缸，形状像凤凰，重达142千克。

金条和金币都具有保值的功用。现在已知最早的金币是公元前600年由小亚细亚的吕底亚人铸造的。年代越久远的金币越有纪念价值，也越值钱。

黄金不生锈，不易腐蚀，又能稳固地镶在牙齿上，所以装假牙时常以黄金做材料。

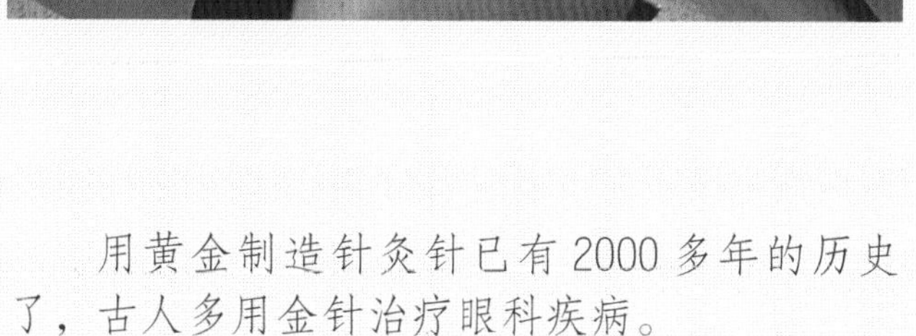

用黄金制造针灸针已有2000多年的历史了，古人多用金针治疗眼科疾病。

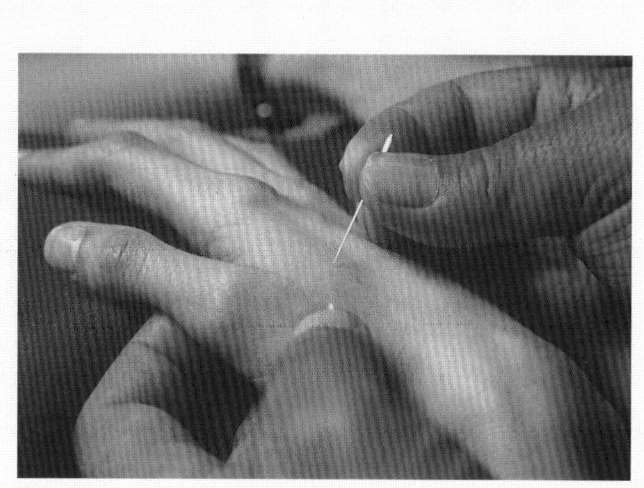

具有历史价值的黄金制品

早在5000年前，人类就已经使用黄金了。殷商时期的墓葬中，出土有黄金饰品和金箔、金丝等。春秋战国和秦汉时期，更将黄金用作货币。据说，意大利都灵的埃及博物馆中保存有一张3000年前的金矿图，可见3000年前古埃及人就开始从事金矿的开采了。

这是3000年前古埃及第十八王朝法老图坦卡蒙过世时，所戴的黄金面具。

图片来源：世界黄金协会

这是南美洲哥伦比亚的黄金陪葬面具。在哥伦比亚的古文明中，官位较高的人过世，全身都会覆盖黄金。

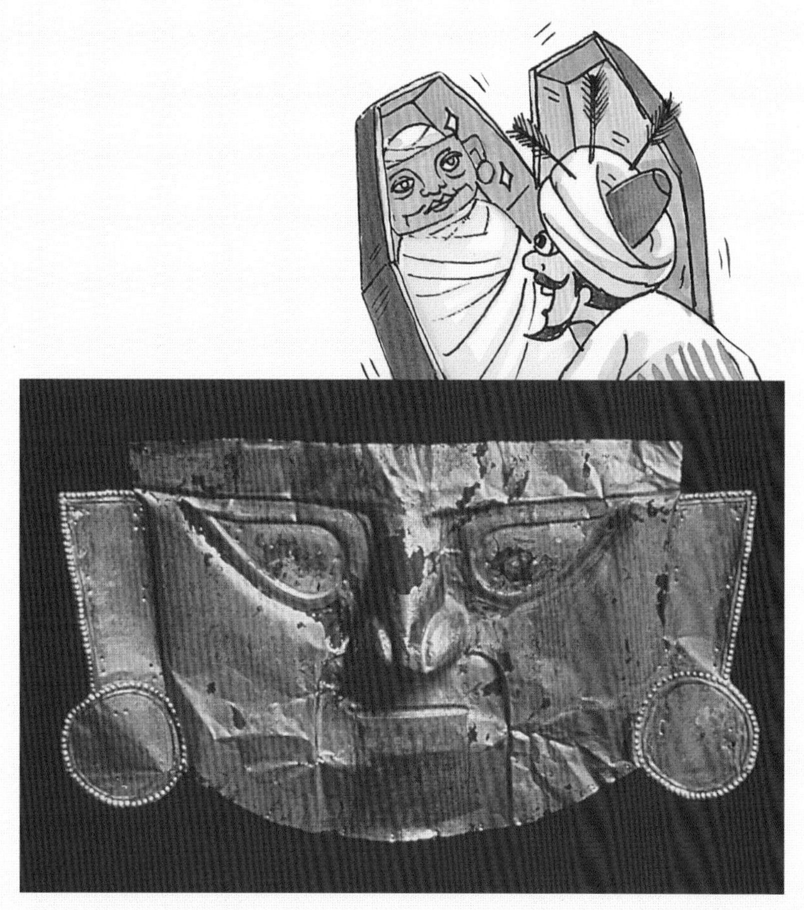

这是15世纪前，秘鲁的木乃伊所戴的黄金面具。

这是在法老图坦卡蒙陵墓中发现的黄金版画。

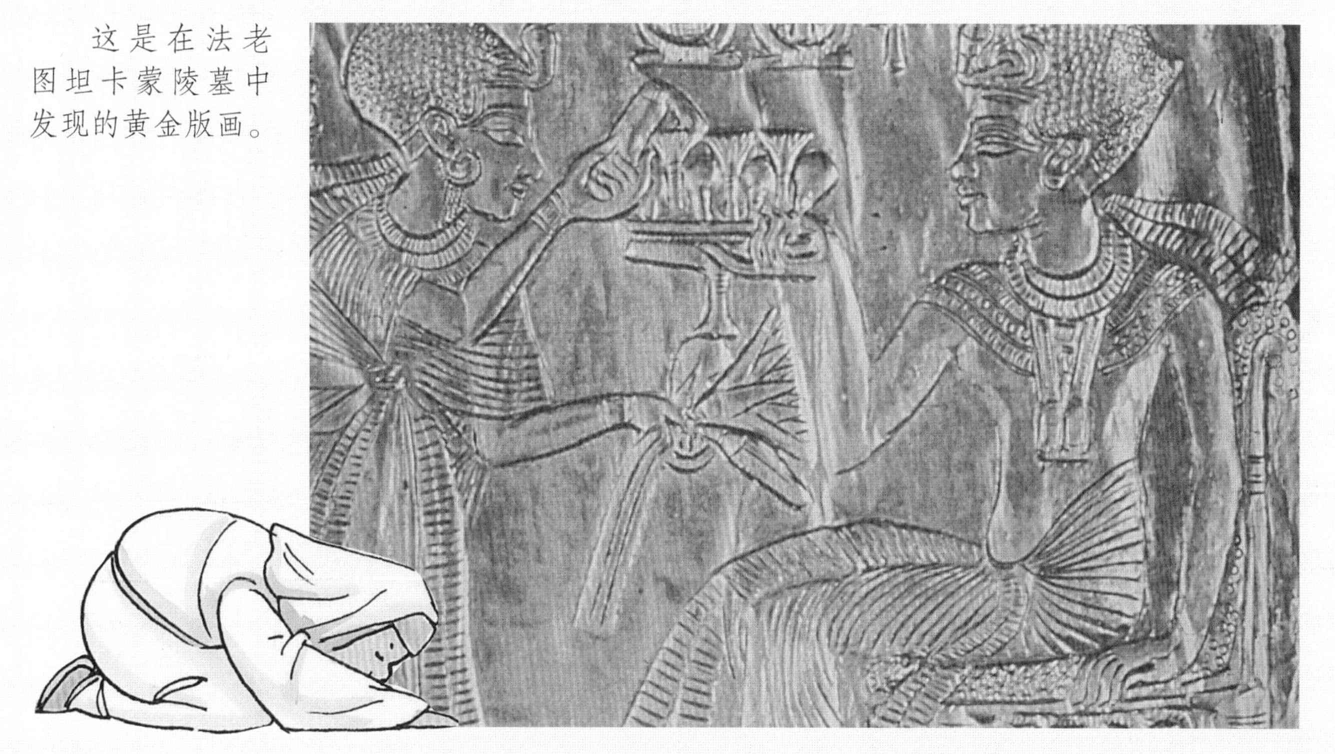

发现黄金矿脉

黄金矿脉有山金和沙金两种，通常都是先在河流中发现沙金后，再溯流而上找到山金。山金大多与银、铜、铅等矿石一起开采出来，除了石英矿脉之外，有时也会含于黄铁矿、黄铜矿、砷黄铁矿、闪锌矿、辉锑矿等矿脉中。当地层发生剧烈变化，山金经过风化和侵蚀后，就会变成鳞片状、块状、粒状，随沙砾一起流入河中。

扫一扫，看视频

矿化作用

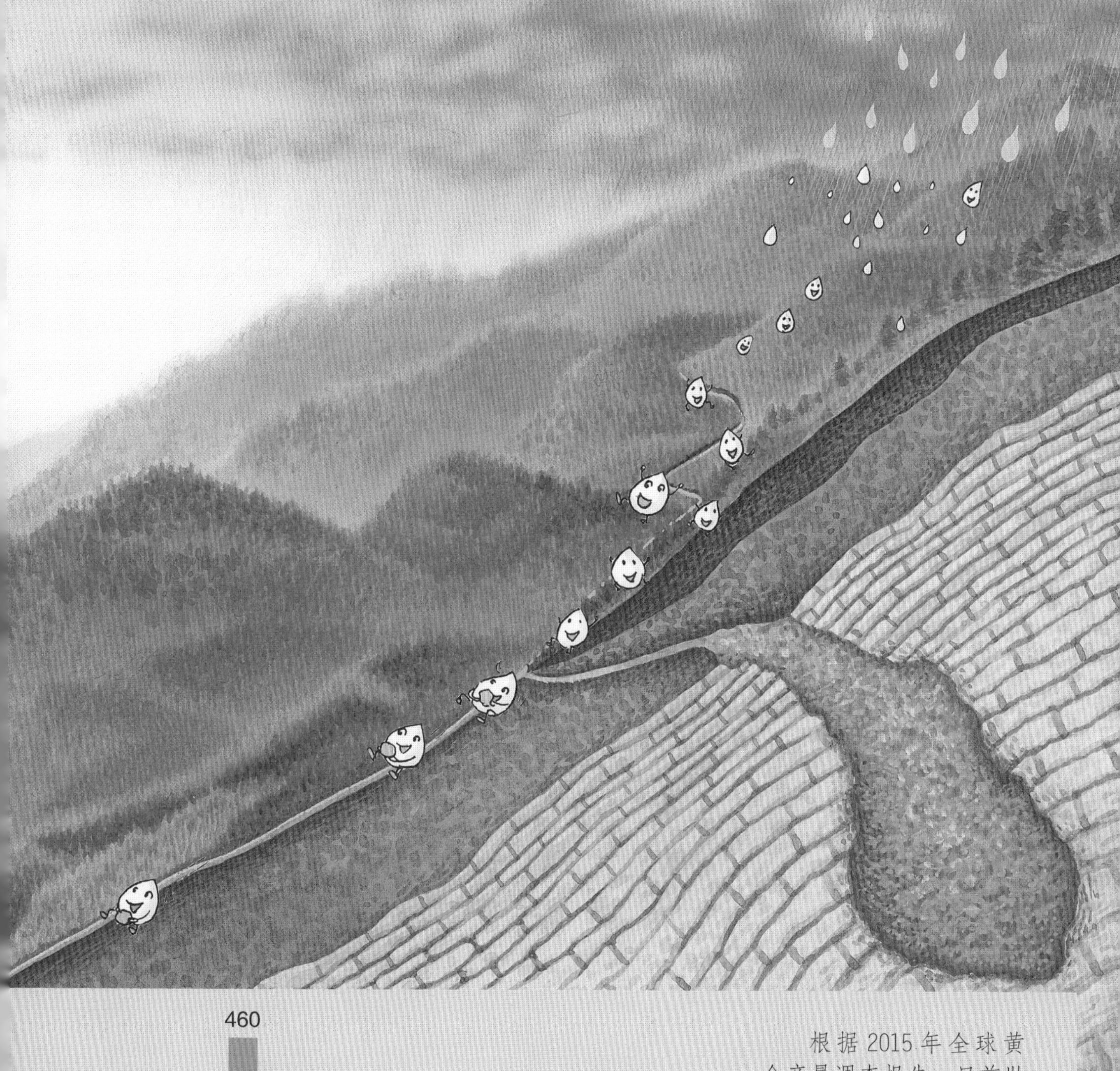

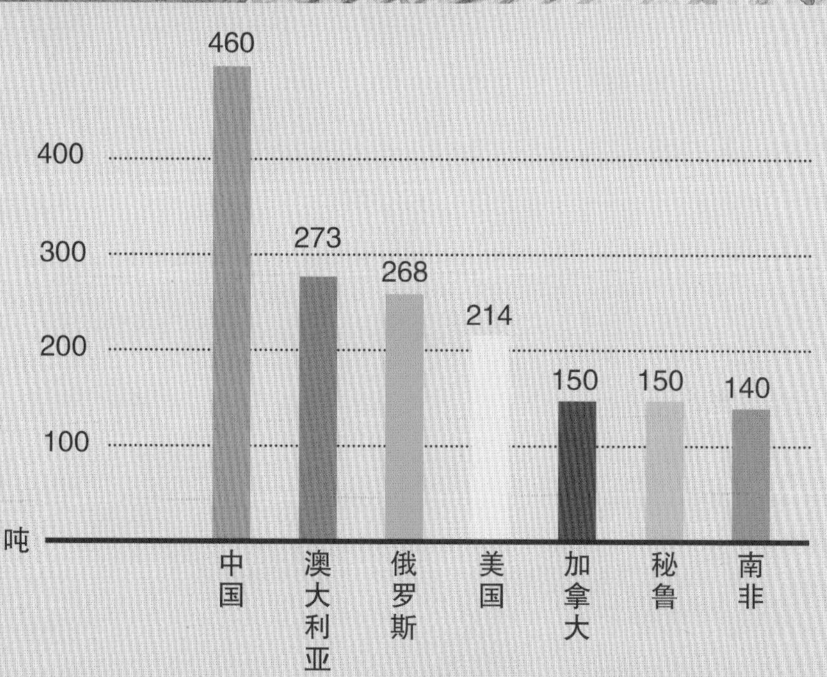

根据2015年全球黄金产量调查报告，目前世界产金量最高的国家是中国，第二名至第五名分别是澳大利亚、俄罗斯、美国、加拿大和秘鲁，其中加拿大和秘鲁是并列第五名。原本产量最多的南非，现在排在第七位。

淘沙金各有办法

一条河流一旦发现含有沙金，马上就会引起一阵淘金热，人们立刻蜂拥而至。有的以具有凸纹的淘金盘来淘取，有的以摇金槽来淘洗。大规模淘金大多利用木制的人工渠道，大伙儿不断地把沙砾放进渠道中，每隔一段距离就在槽中放置横棒，使流速减慢。由于金的密度约为水密度的19.3倍，因此沙金就会沉淀下来。

沙金大多沉积在河流弯曲、流速减慢或有障碍物的地方。由于金的密度大，一般不会沉淀在表层10厘米的沉积物中，越往下，发现的概率越大。海中也有沙金，有的沙金随水流入海中，人们常驾着淘金船来淘金，在船上过滤沙砾，再将废砂排入海中。

山金开采大工程

黄金通常以细小颗粒的形式，散布于岩层矿脉中，成块的黄金是极为罕见的。山金的开采方式有露天开采和地底开采两种，大多用炸药和起重机来开采岩石，再冶炼成黄金。

亚洲主要的山金矿区大多位于环太平洋地区，如中国、菲律宾、印度尼西亚、日本。

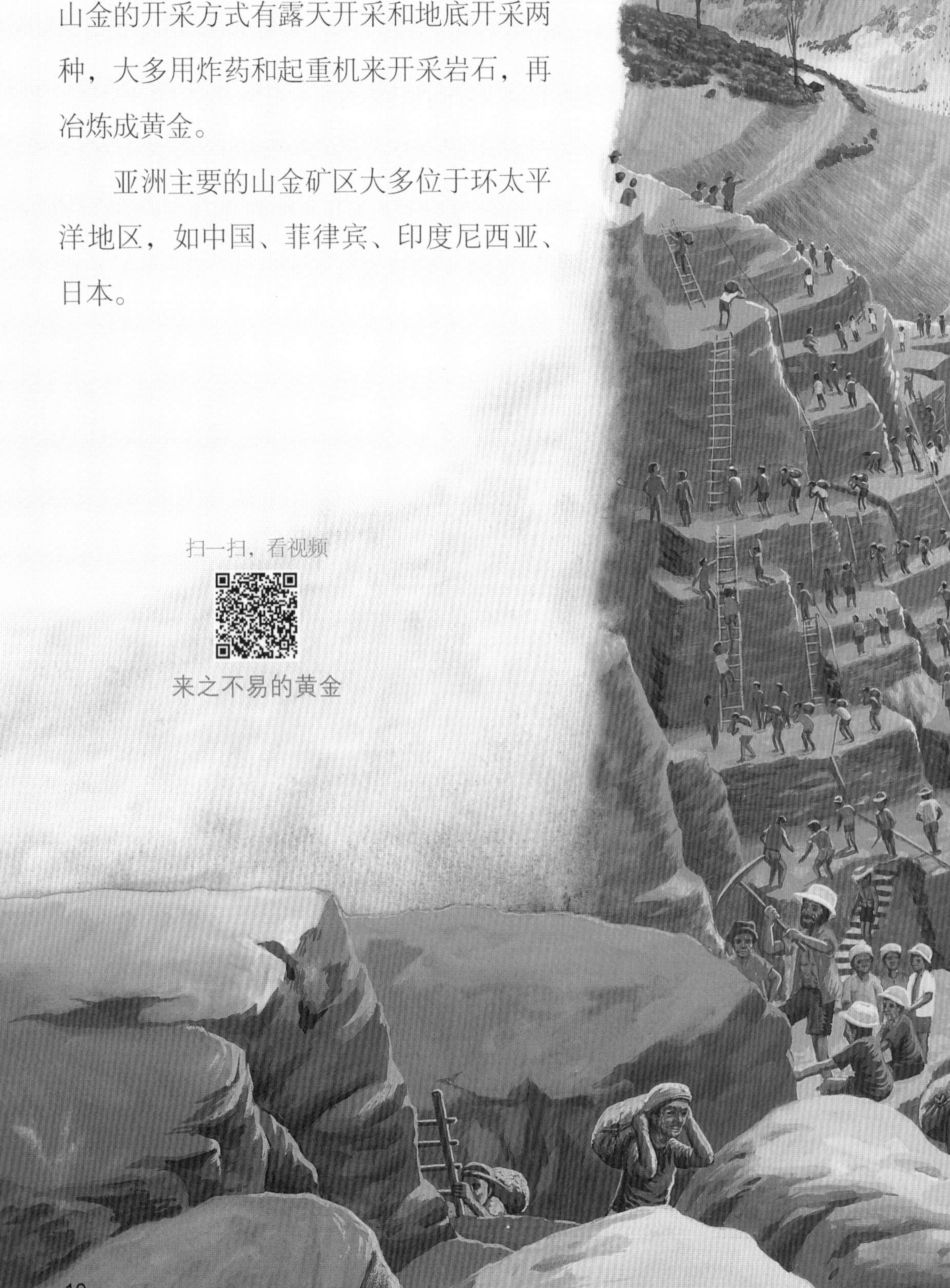

扫一扫，看视频

来之不易的黄金

点石成金

山金的开采是一项既艰巨又苦闷的工作，往往数吨的岩石只能分离出几克的黄金。如何才能将矿石里的黄金分离出来呢？

1. 将矿石磨碎。以前常利用畜力来磨碎矿石，后来发明碎石机来碾碎矿石，现在则使用颚式破碎机。

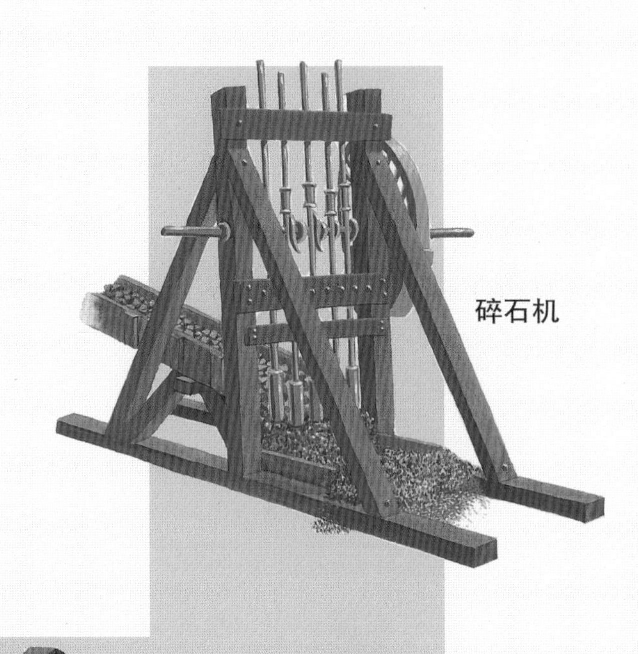

黄金在空气、水中都不易氧化，一般的酸无法溶解它，只有氰化钾、氰化钠水溶液，或用1份浓硝酸与3份浓盐酸混合的王水才能溶解黄金。

2. 将矿石倒入滚筒，加水混合，由钢棒和钢球将碎石碾成碎粒。

3. 再进入有喷气及搅拌装置的振荡槽中，加入氰化物混合，将沙金与碎粒分开。

氰化物

4. 再进入一个巨槽，岩石的碎粒会慢慢沉淀，再将澄清的溶液注入过滤槽。

8. 一边加入硼砂助熔，一边加热成金水。金水冷却会凝成金块，硼砂则与其他杂质混合成熔渣，浮在上面。
利用这种氰化法所提炼的黄金纯度达 90%，再由工厂处理成 99.99% 的纯金。
硼砂
7. 提取金的沉淀物。
锌粉
5. 经过滤处理，将残余的细石粒过滤掉。
6. 再将锌粉加入溶液中，使氰化物与金分离。

黑亮的试金石

现在有很精密的科学仪器可以测试黄金的纯度。以前，试金石是矿工测试黄金纯度的最佳工具。纯度 99% 与 97% 的黄金以肉眼看差异不大，但在试金石上却可划出不同颜色的线条，99.9% 的纯金划出的金色线条中略带红色，随着纯度的下降，色泽会转为带黄带青，甚至白色。

越拉越细的金丝

黄金的质地柔软，延展性强，是世界上延展性最佳的金属。人们常说真金不怕火炼，就是指它的熔点高达1064.18摄氏度，适用于多种用途。1克的黄金可以拉成4000米长的金丝，粗细只有头发的几分之一。金块如何拉成金丝，制成饰品呢？

1. 用火将金块加热，使金块变软。

2. 放入机器的线轴，将金块压长。

3. 金块经过越来越细的线轴，变得更加细长。

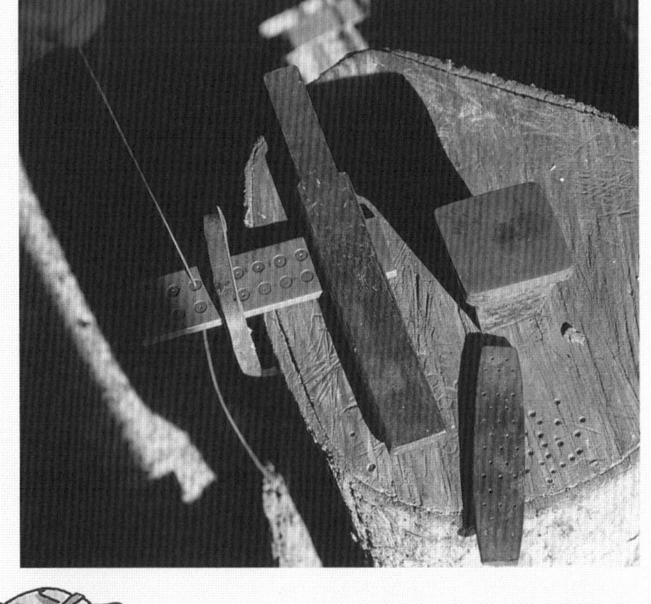

4. 再将金线穿入特制的小孔，使金线越拉越细长。

仔细看哟，每个小孔的孔径都不一样呢。

5. 拉好金丝后，将金丝绕圈。

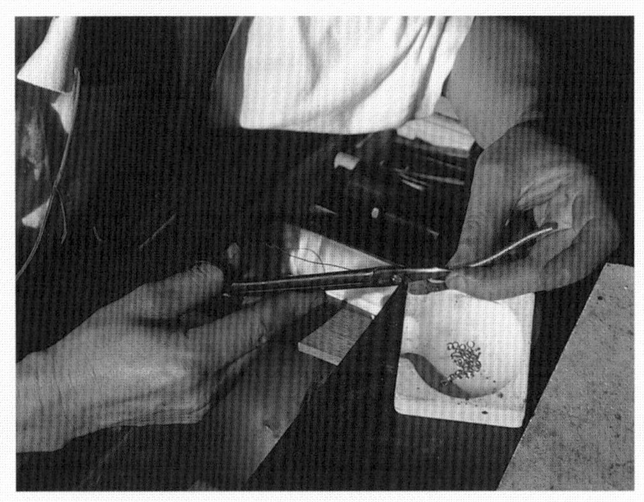

6. 将金圈一个个剪断。

7. 将一个个小圆圈串联起来。

8. 加热软化使开口处熔合在一起，就成了一条项链。

黄金的纯度

黄金的纯度以K（开）来表示，纯金是24 K，比较软，硬度只有2.5—3；也可加入其他金属制成较硬的合金。平常所说的18 K，是表示这个金制品含有75% 的纯金和25% 的其他金属，由于比较硬，所以不易变形。

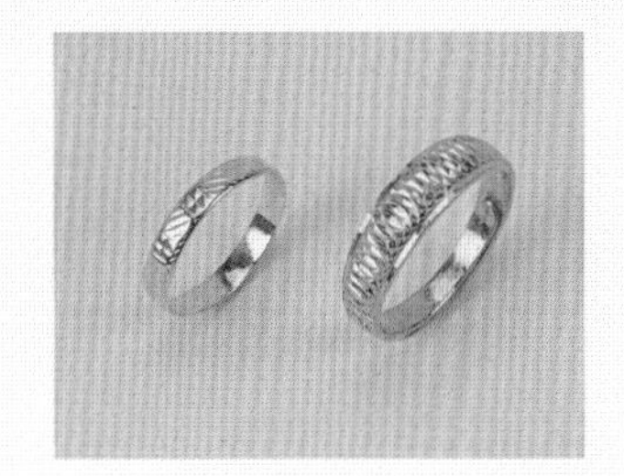

右边颜色较黄的戒指是24 K，左边颜色较淡的是18 K。

越打越薄的金箔

黄金除了可以拉成细金丝，也可以捶打成比纸还要薄的金箔。1克的黄金可以碾成9平方米的面积，厚度只有十万分之一厘米。黄金如何捶打成金箔呢？金箔那么薄如何雕刻呢？

哇，好像蛋黄哟，黄金加热到2836摄氏度才会沸腾哟。

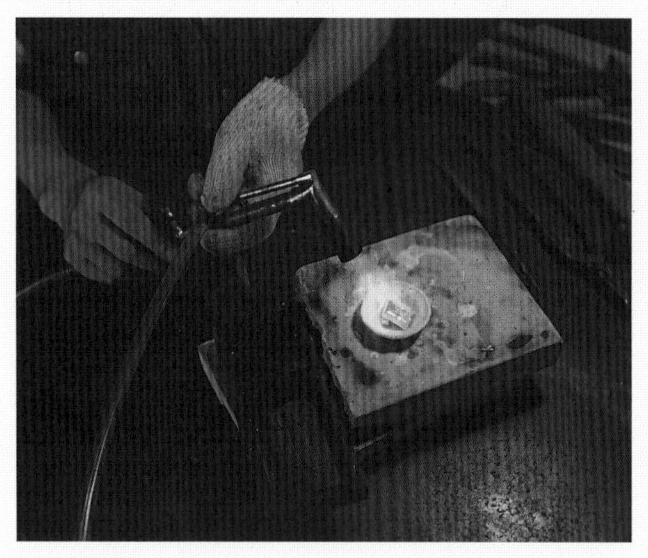

1. 加热前先加入硼砂，以加快黄金熔解的速度。

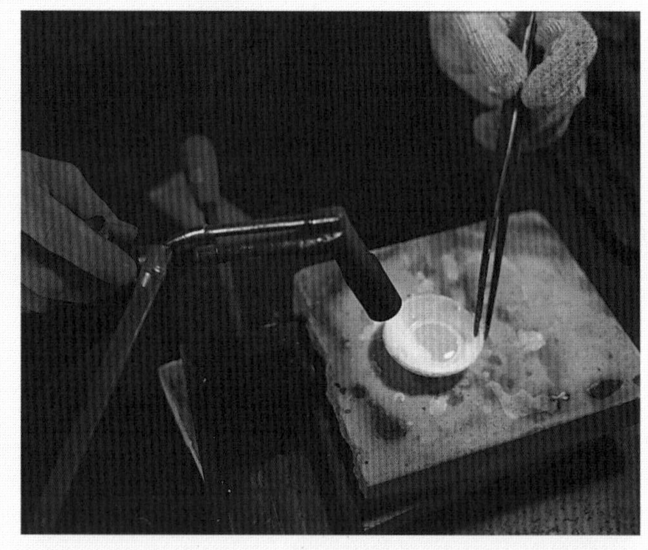

2. 当达到1064.18摄氏度时，黄金就开始熔化成液体。

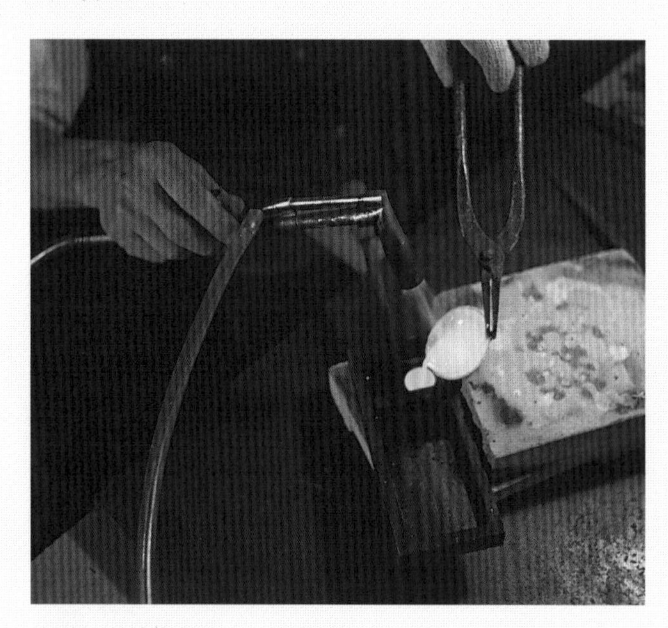

3. 倒入模型中冷却一下。

4. 捶打金块使它变薄。

5. 当金块越来越薄时，开始改用木锤塑形。

7. 在金片上贴上要雕刻的图案，就可以雕刻了。

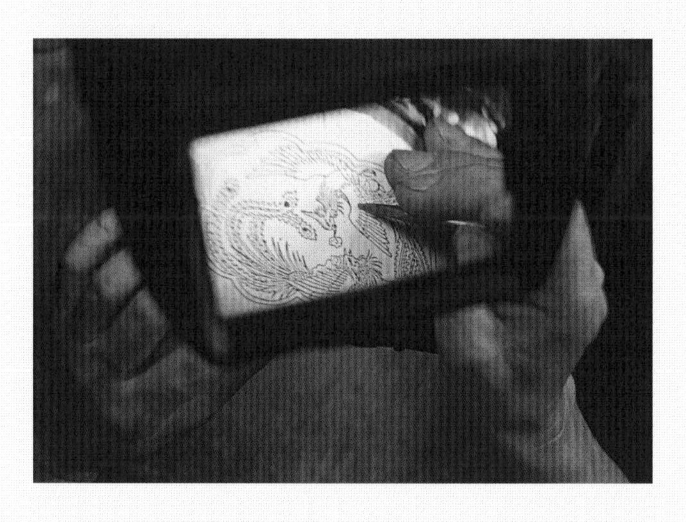

8. 有时图案线条太细密了，用放大镜才能刻出细节。

6. 若要制作有弧度的金锁片，需在中空部分加入松膏填平，以方便雕刻。

一压成型的金箔

打得很薄的金箔可以放入模型中压出图案。

这是福字“富贵长命”的模型。

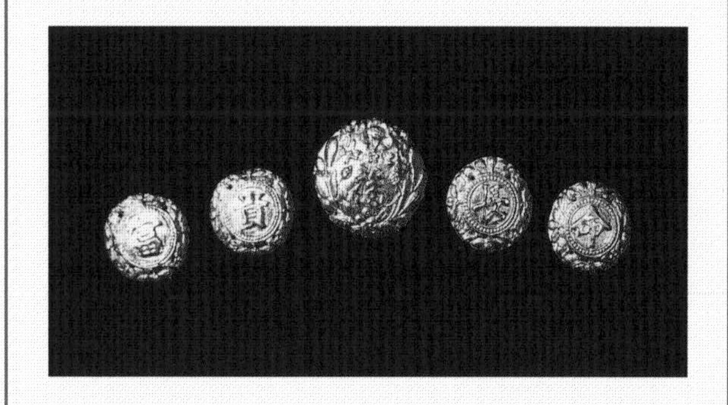

这是金箔压上字样后的成品，常固定在帽子上。

性质奇特用途广

黄金的导电和导热性仅次于银和铜，是电和热的良导体，兼具耐高温、不易生锈、不易被腐蚀、延展性强等特性，常被用来制造印刷电路、半导体零件等。由于黄金几乎能完全反射红外线和紫外线，所以宇航员所用的头盔会贴上金箔。

图片来源：美国国家航空航天局

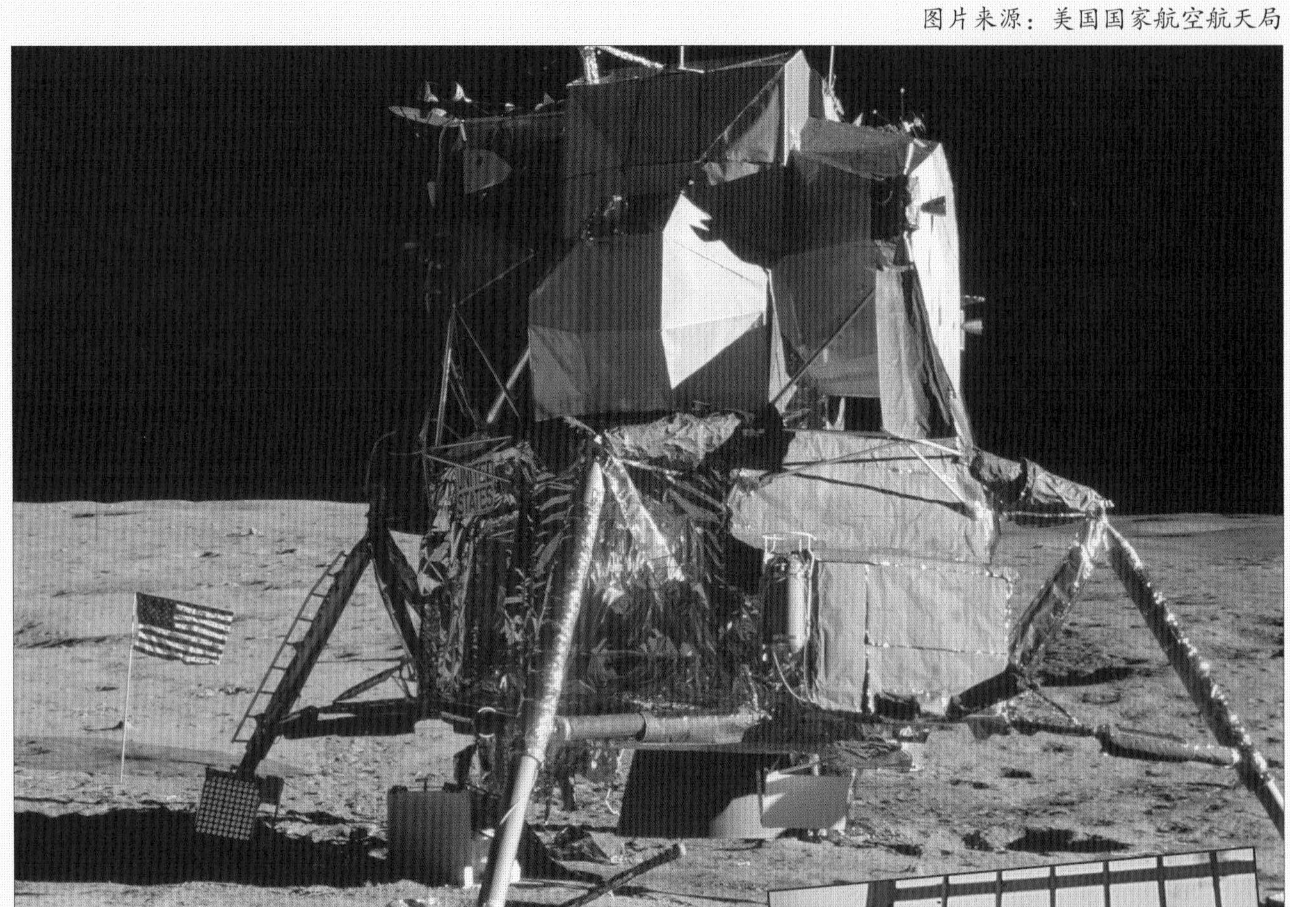

这是覆有金箔的登月小艇。黄金能反射太阳的强光，阻挡辐射，使登月小艇免于过热，保护设备。

图片来源：世界黄金协会

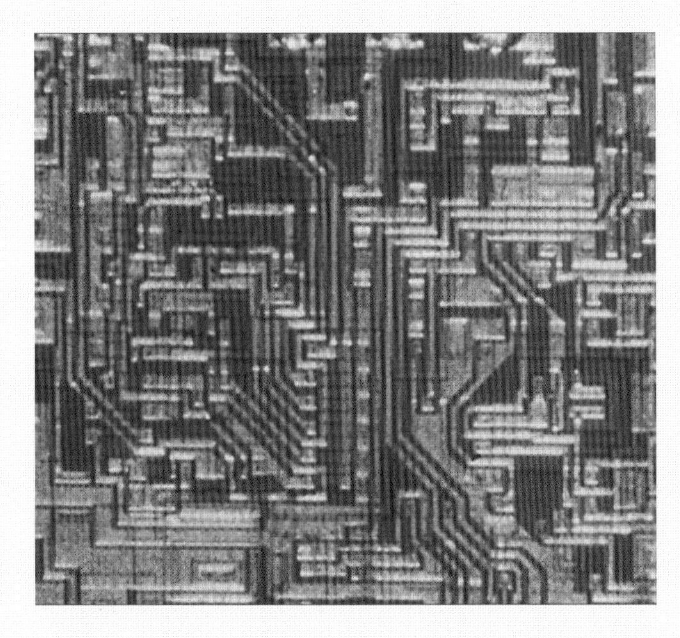

黄金是电路接触器很好的材质，具有良好的传导性。

图片来源：世界黄金协会

窗户贴上金箔的建筑物。

图片作者：洪家辉

黄金是制造火箭、人造卫星等太空飞行器零件的重要材料之一，图为美国“先锋10号”探测器（模型），右上角黄色处是金箔，可抵挡太阳的高热辐射。

建筑技术的奇观——埃及金字塔

坐落在埃及尼罗河两岸的金字塔，目前已知的有六七十座，其中以三座最有名，都位于首都开罗西南约 5 千米的吉萨。而这三座金字塔中又以胡夫金字塔最大、最出名，所以它又被称为大金字塔。

大金字塔不仅在考古学上是极具价值的研究宝库，以建筑学的观点来说，它的建筑技术更是数一数二，也是世界古文明七大奇迹中硕果仅存的。现在让我们一块来看看，4500 年前埃及人是如何建造胡夫金字塔的。

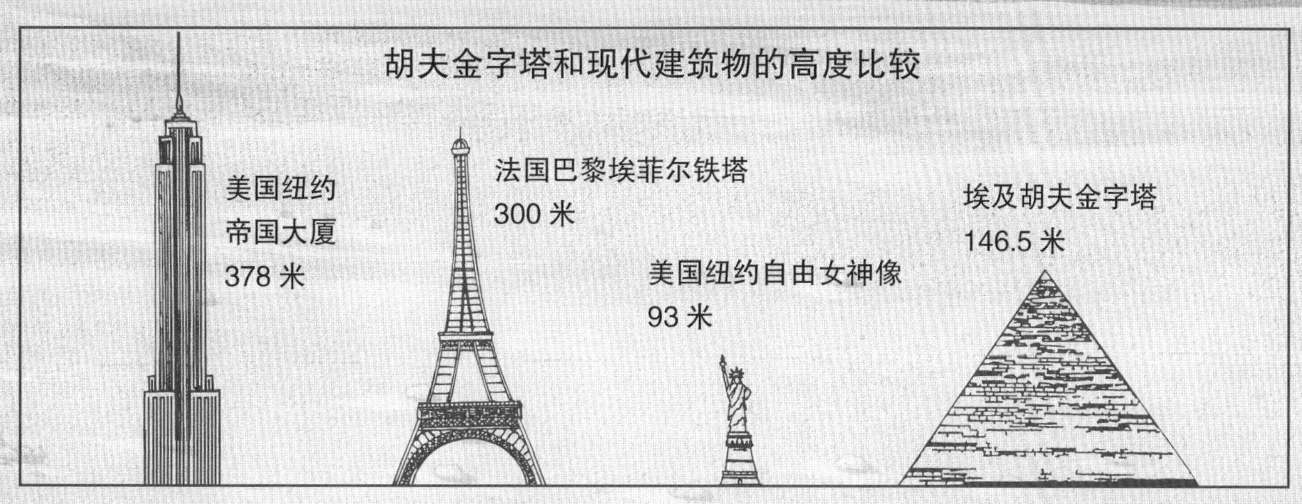
胡夫金字塔和现代建筑物的高度比较
美国纽约
帝国大厦
378 米
法国巴黎埃菲尔铁塔
300 米
美国纽约自由女神像
93 米
埃及胡夫金字塔
146.5 米

测量方位的技术

胡夫金字塔原本高 146.5 米，但是经过数千年的风吹雨淋，塔顶剥落了约 10 米，现在高约 136.5 米。

古埃及人相信，法老死后会变成神，胡夫金字塔是为法老胡夫死后变神而建造的，所以方向、位置非常重要，必须很精确才行。但 4500 年前指南针与罗盘尚未发明，所以埃及人通过观测星象来决定方位。

现在看到的胡夫金字塔，四个面都正对东、西、南、北方向，误差皆小于 1 度；基底每边长 230 米，底面积达 5.29 万平方米，边长误差也不超过 20 厘米。冬天时金字塔影子长而夏天时影子非常短，所以科学家认为古埃及人可能是借塔的影子来测知四季的转换、一年的更替和一天的长短的。

古埃及人测定方位的方法

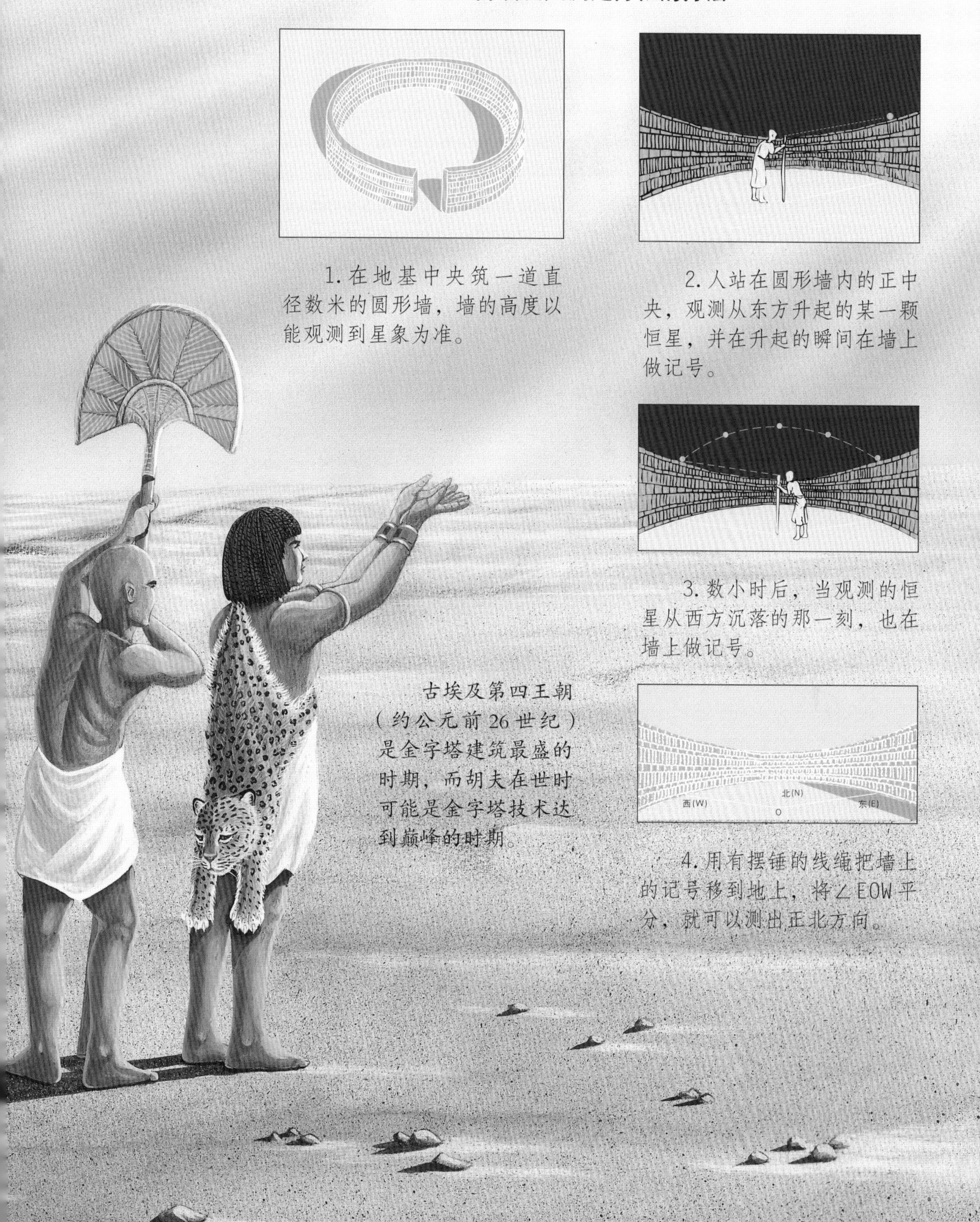

1. 在地基中央筑一道直径数米的圆形墙，墙的高度以能观测到星象为准。

2. 人站在圆形墙内的正中央，观测从东方升起的某一颗恒星，并在升起的瞬间在墙上做记号。

3. 数小时后，当观测的恒星从西方沉落的那一刻，也在墙上做记号。

4. 用有摆锤的线绳把墙上的记号移到地上，将∠EOW平分，就可以测出正北方向。

古埃及第四王朝（约公元前26世纪）是金字塔建筑最盛的时期，而胡夫在世时可能是金字塔技术达到巅峰的时期。

切割岩石的方法

一旦方位确定后，人们便开始搬运石材，塔心的部分是取自吉萨附近采石场的石灰岩；表面和通道的石材则是从距开罗 50 千米的地方采来的上等石灰岩；墓室所用的花岗岩是从 1000 千米以外的阿斯旺采来的。

巨大的岩石要怎么切割呢？科学家与考古学家们至今还没有一个确切的答案，其中较常提到的是，当时古埃及人还不会用铁，因此石材的切割是靠铜凿子和木楔子。他们在岩壁上挖洞，再打进木楔并灌水，利用楔子吸水膨胀的张力迸裂石块，切下来的石块还要经过修整。为了方便修整石块，科学家推测，他们有可能在水中进行修整工作。修整好的石块可能是利用滚轴和杠杆，或是木橇、船只等来搬运的，也有可能是利用水力来运送。

古埃及人为了搬运石块，有可能利用各种滚轴、杠杆等工具，同时会在地上浇水，减少地面的摩擦力。

古埃及人建金字塔使用的工具

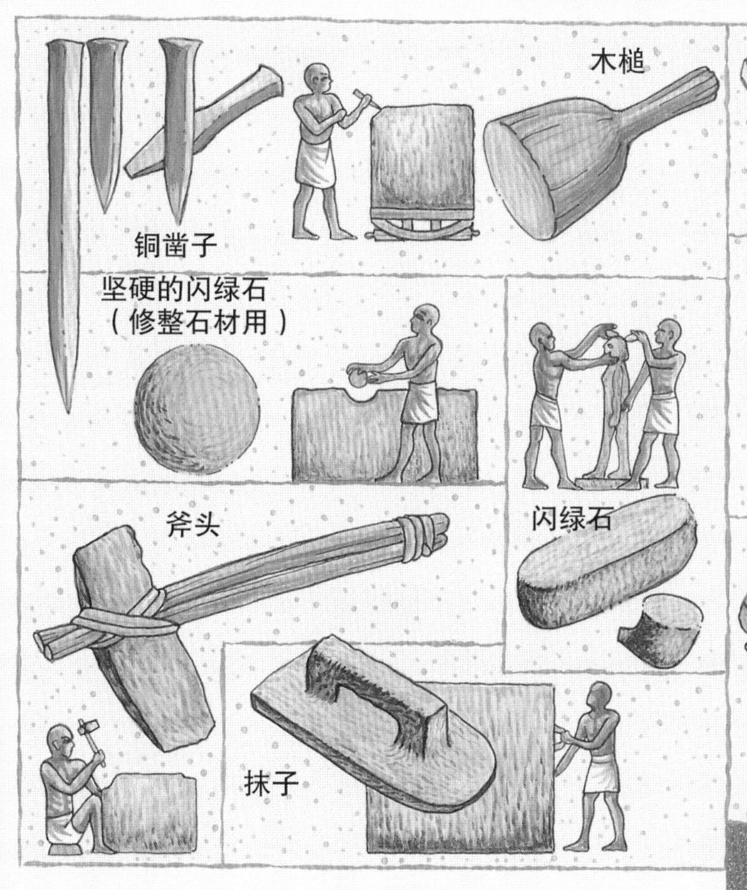

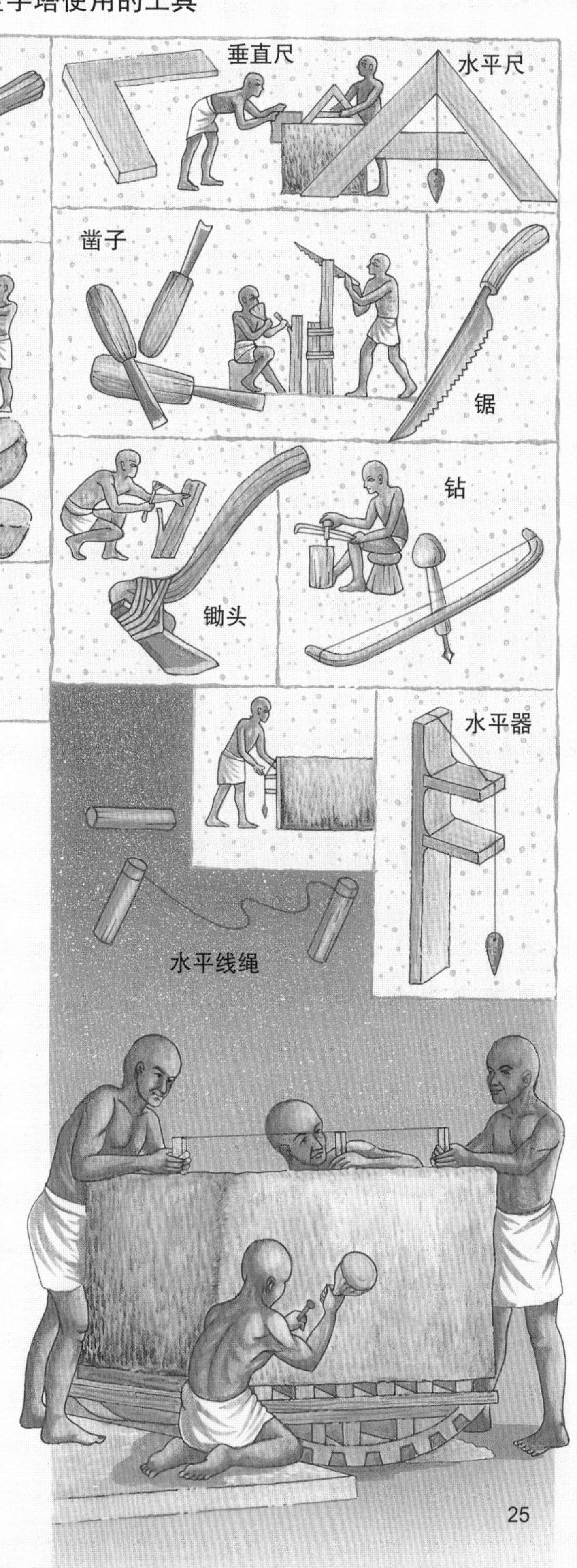

牺牲奉献的无名英雄

科学家们估计，依当时的状况投入胡夫金字塔建设的人力有一亿人以上，而且至少花25年才能完成。这一群无名英雄包括切石工人、木匠或泥水匠、石匠等，使用的工具非常简陋。而每年7—11月是尼罗河的泛滥期，农民无法从事农作，也投入到金字塔的建造中。

搬巨石的方法

每一块重 2.5 吨以上的巨石，可利用滚轴、杠杆、木橇，或是水的浮力搬运到工地，可是古埃及人在没有起重机和其他工具的情况下，是怎样将石块堆叠到 146 米高的呢？据科学家们推测，埃及人有可能是在金字塔四周用灰泥、砾石筑造了螺旋状的斜坡，再以人力拖拉，使巨石慢慢移动，一块一块渐渐堆起来；也有可能在金字塔旁建造直立的水道，利用水的浮力，让石块沿着河道往上移动。

由于石块之间堆叠得十分紧密，石块间如有空隙再用灰泥补起来，因此胡夫金字塔石块间的空隙连一张纸也塞不进去。此外，塔的地基也基本保持水平，东南角比西北角只高出 1.3 厘米而已。

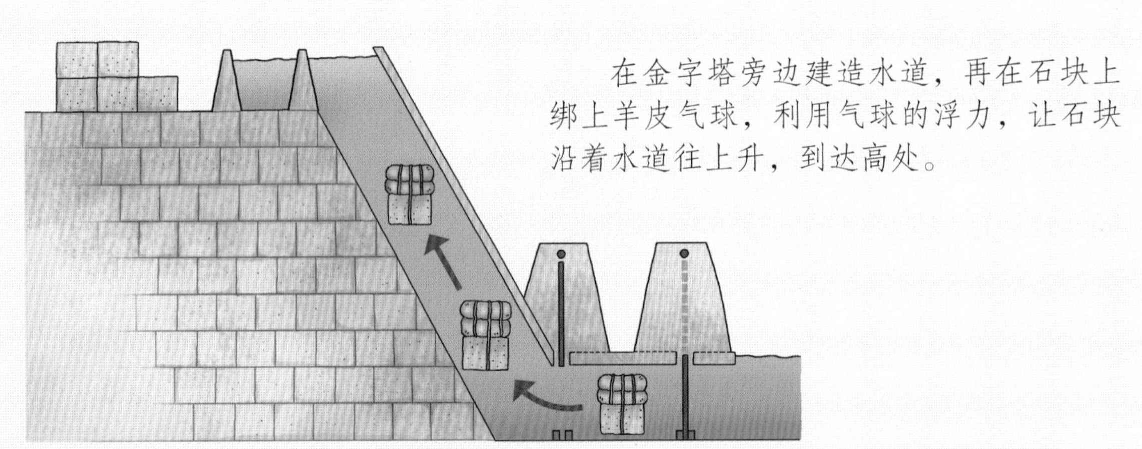

在金字塔旁边建造水道，再在石块上绑上羊皮气球，利用气球的浮力，让石块沿着水道往上升，到达高处。

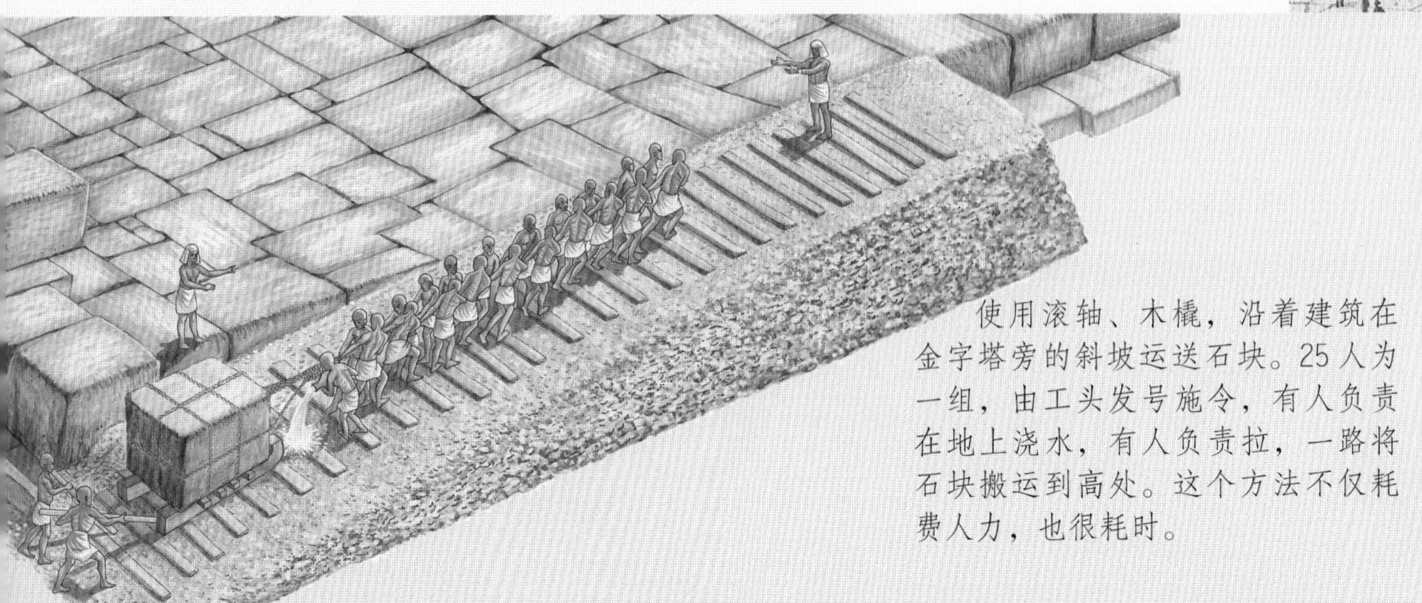

使用滚轴、木橇，沿着建筑在金字塔旁的斜坡运送石块。25 人为一组，由工头发号施令，有人负责在地上浇水，有人负责拉，一路将石块搬运到高处。这个方法不仅耗费人力，也很耗时。

在地基上修建棋盘状的沟槽，然后将水注入沟槽，利用水面呈水平的性质，在沟槽边做记号，将地整成水平。

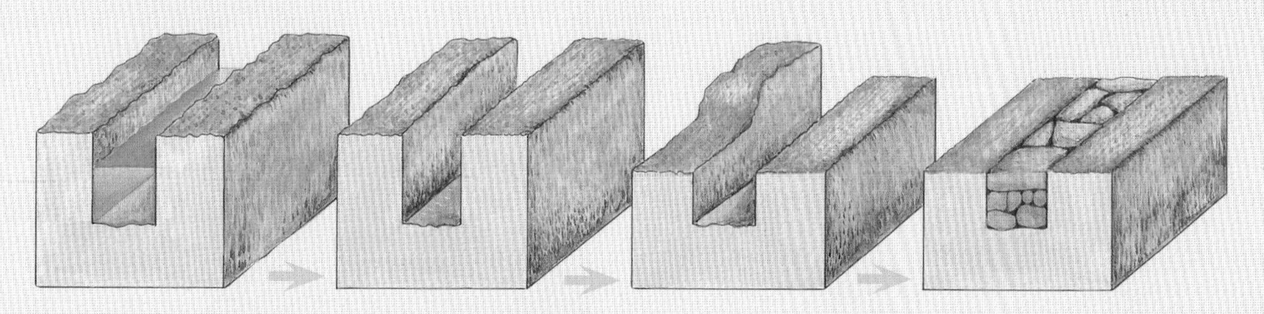

装上帽石就大功告成了！

“真希望有生之年，能亲眼看到胡夫金字塔的完成。”

日复一日、年复一年，历时 20 多年后，很多工人由年轻小伙子变成中年人，在装上帽石后，胡夫金字塔总算大功告成了。接下来就必须把先前修筑的辅助螺旋坡道，一路由上往下拆除，拆下来的灰泥、砾石正好用来填补金字塔阶梯状的外层，并修成平滑的面，使塔的斜面成为等腰三角形。不过，我们今天所看到的胡夫金字塔由于年代久远，最外层的灰泥早已剥落，只剩下裸露在外的阶梯状石块。

帽石的底下有一块突出的部分，正好镶嵌在最后一层石阶上的凹陷处，使帽石更紧密地堆叠在金字塔顶端。不过，胡夫金字塔遗迹的帽石现在已看不到了。

金字塔的内部构造

目前胡夫金字塔内已知的居室有五间：法老的墓室约在塔的中央，接近地面的地方有一间王妃室和两间布满沙的密室，还有一间位于地下室的玄室。玄室的作用是在金字塔建筑期间万一法老逝世，可暂时用来安放棺柩。

到现在为止，科学家们对于金字塔的内部构造，如石块的堆叠方法、如何由石块组合成内部构造、分散石块重量的方法等，仍无法一一了解，因此有人甚至认为金字塔是外星人的杰作，而不是数千年前古埃及人建的。从建筑学的角度来看，胡夫金字塔的建造工程应用了精密的数学与天文学，简直就是建筑界的奇观！

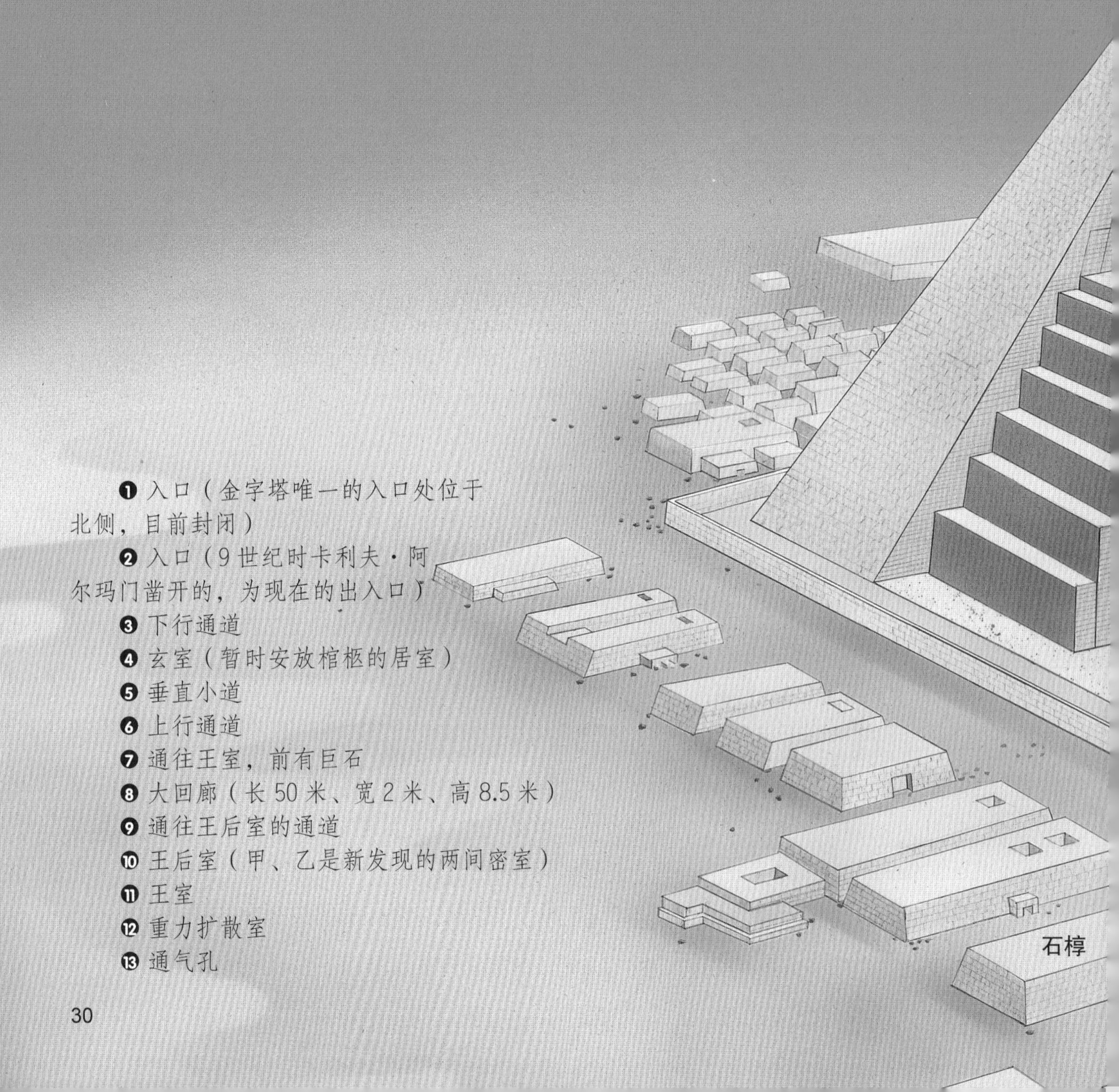

❶ 入口（金字塔唯一的入口处位于北侧，目前封闭）
❷ 入口（9 世纪时卡利夫·阿尔玛门凿开的，为现在的出入口）
❸ 下行通道
❹ 玄室（暂时安放棺柩的居室）
❺ 垂直小道
❻ 上行通道
❼ 通往王室，前有巨石
❽ 大回廊（长 50 米、宽 2 米、高 8.5 米）
❾ 通往王后室的通道
❿ 王后室（甲、乙是新发现的两间密室）
⓫ 王室
⓬ 重力扩散室
⓭ 通气孔

封墓的方法

胡夫死后被制成木乃伊，从金字塔北侧入口抬入。先走下行通道，再走上行通道到达金字塔腰部的中心王室，那里藏有若干巨大的“栓塞石块”，暂放在木架上，作为封墓的机关，防止盗墓。法老的送殡行列离去后，工人便把石块放松，栓石纷纷滑落塞住上行通道入口，工人则从隐秘的垂直小道离开，金字塔于是封闭。

王室的上方有五块石头横置的重力扩散室，用来分散塔的石块重量，以免王室崩塌。由于这个重力扩散室是一位美籍科学家大卫森所发现的，所以又称为大卫森室。

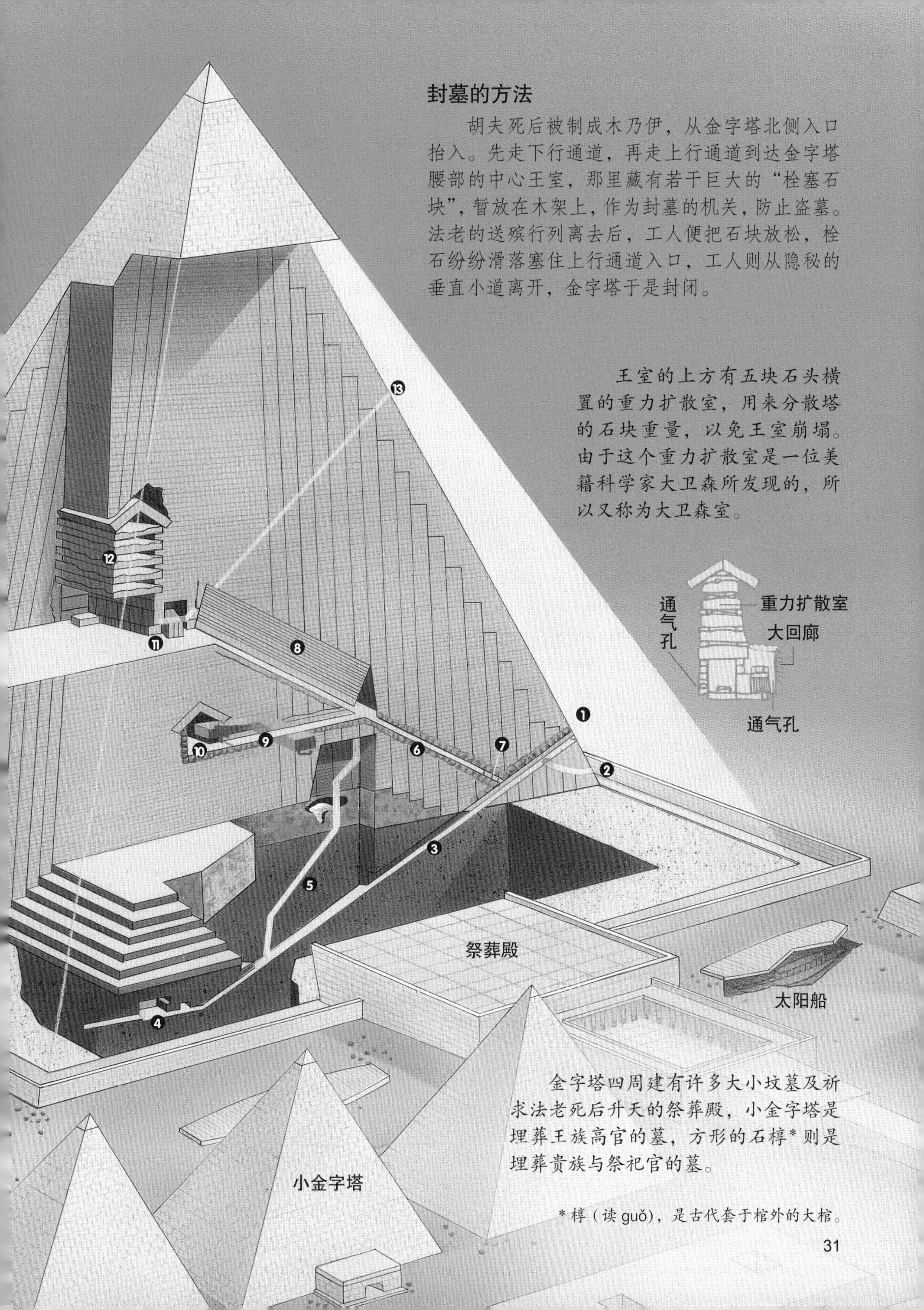

金字塔四周建有许多大小坟墓及祈求法老死后升天的祭葬殿，小金字塔是埋葬王族高官的墓，方形的石椁*则是埋葬贵族与祭祀官的墓。

*椁（读 guǒ），是古代套于棺外的大棺。

吉萨金字塔建筑群

胡夫金字塔旁还有两座大型的金字塔，是其他两位法老的陵墓，除了这三座大型的金字塔外，周遭还分布着一些小金字塔与建筑物。这些小金字塔可能是法老的王后的陵墓，而各种建筑物，则为祭祀的宗庙。这些建筑构成了吉萨金字塔群，科学家通过这些建筑中的壁画及物品了解古埃及时代的生活与文化。

孟卡拉金字塔

吉萨金字塔群已被列为世界新七大奇迹之一，除了吸引许多考古学家去探查，也成为游客前往埃及必去的景点之一。

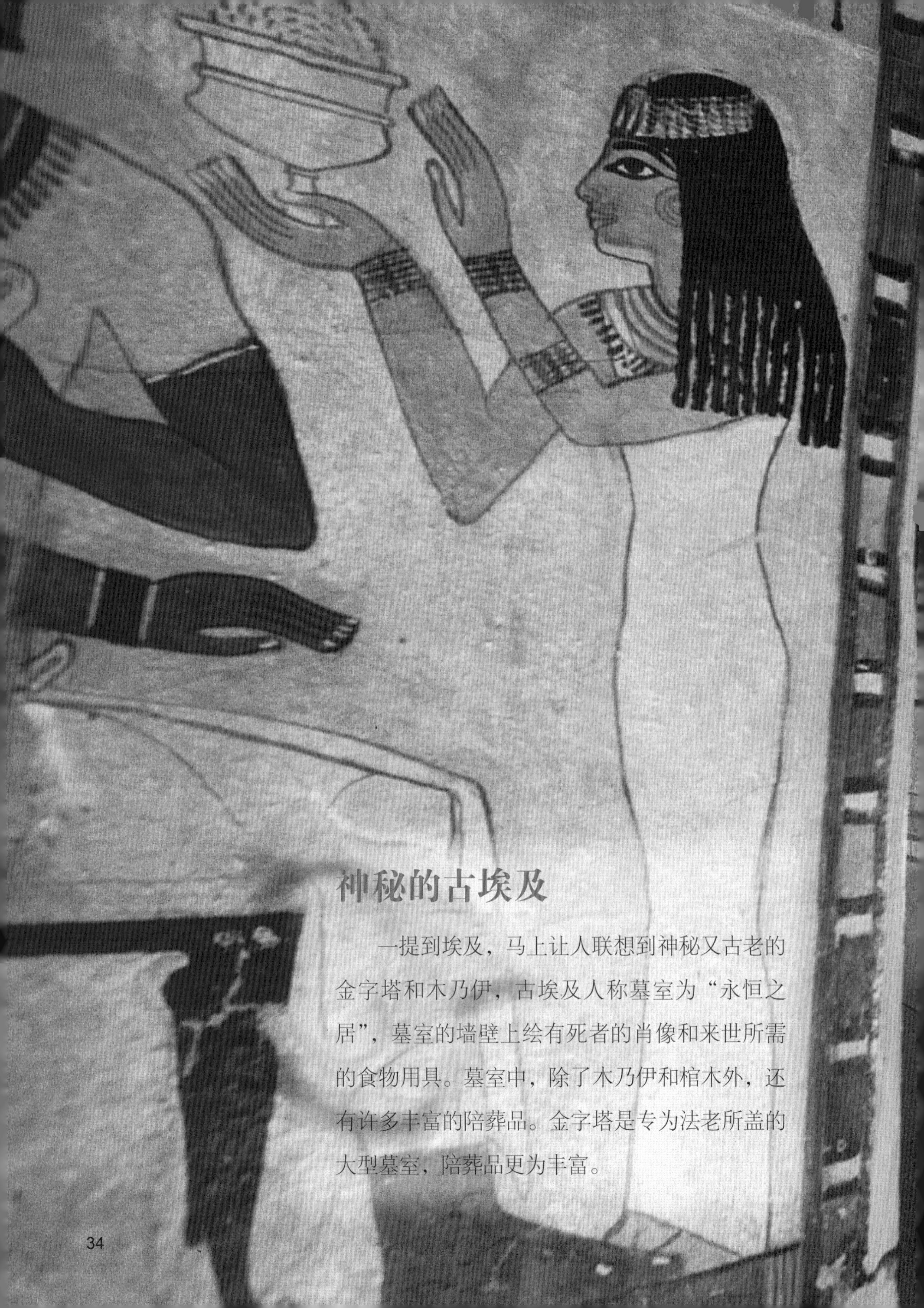

神秘的古埃及

一提到埃及，马上让人联想到神秘又古老的金字塔和木乃伊，古埃及人称墓室为“永恒之居”，墓室的墙壁上绘有死者的肖像和来世所需的食物用具。墓室中，除了木乃伊和棺木外，还有许多丰富的陪葬品。金字塔是专为法老所盖的大型墓室，陪葬品更为丰富。

图片作者：Jaroslav Moravcik / Shutterstock.com

图片作者：Kekyalyaynen / Shutterstock.com

考古学家们从法老图坦卡蒙的墓穴中，挖出了大量的珍宝，以及雕刻绘制精细的棺木和黄金面具，显示出法老身份的尊贵。

华丽的棺木

古埃及人相信善良的人死后经过审判可以复活，所以他们把尸体做成木乃伊，放入棺木中，等待死后灵魂和肉体的再度结合。木乃伊会先放入人形棺里，再放入方形的外棺。木乃伊头部会戴上彩绘面具，棺盖上也有死者的画像，墓室中也会放置死者的雕像或画像。

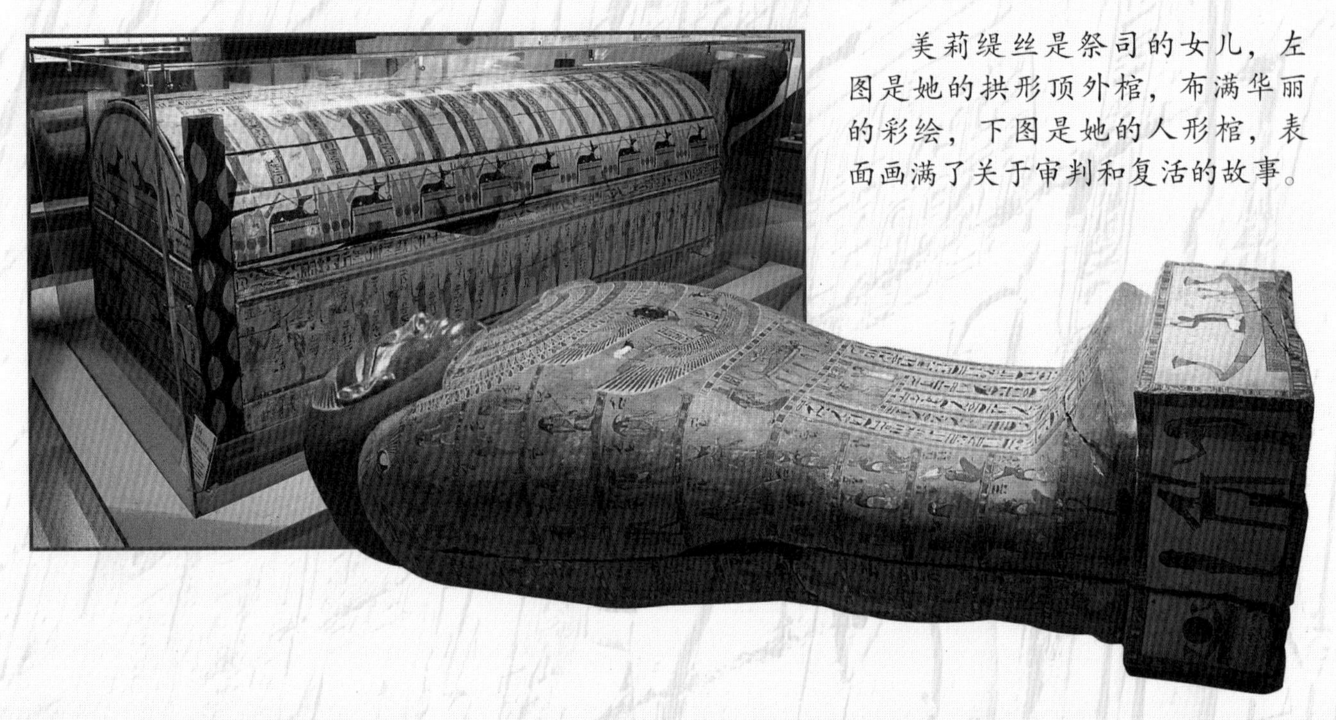

美莉缇丝是祭司的女儿，左图是她的拱形顶外棺，布满华丽的彩绘，下图是她的人形棺，表面画满了关于审判和复活的故事。

木乃伊的制作

防腐师会先取出死者的脑和内脏，待洗净尸体后，放入干燥剂让尸体干燥，再涂上油和树脂，裹上层层的亚麻布条。内脏经过另外处理后，会用亚麻布包好，放在罐子里和木乃伊一起保存。

木乃伊制作完成后，必须放入数层依照亡者身体形状制作的棺椁中保护。棺木上绘着许多图案和咒语，是希望死者在神明的庇护下得到永生。

死后复活的传说

古埃及人认为人死后，会进入另一个比今生更美好的永恒世界。死者的亡灵将被带到玛特女神前接受审判，将死者心脏放在天平上称，若作恶太多，天平会往下沉，死者就永不得超生。如果通过审判，亡灵便可由复活之神奥西里斯赐予永生。

古埃及人的生活用品

考古学家们从古埃及人的陪葬品中逐渐了解了他们的日常生活，古埃及人以种小麦、大麦和牧牛、钓鱼、捉野雁等维生，越富有的上流社会人士，使用的器具越高级华丽。

服装

埃及气候干热，男子一般穿亚麻裙，上身赤裸，或是穿长衫。女子则穿无袖长衫。平民多半不穿鞋子，上流社会人士则穿皮鞋或棕榈叶凉鞋。

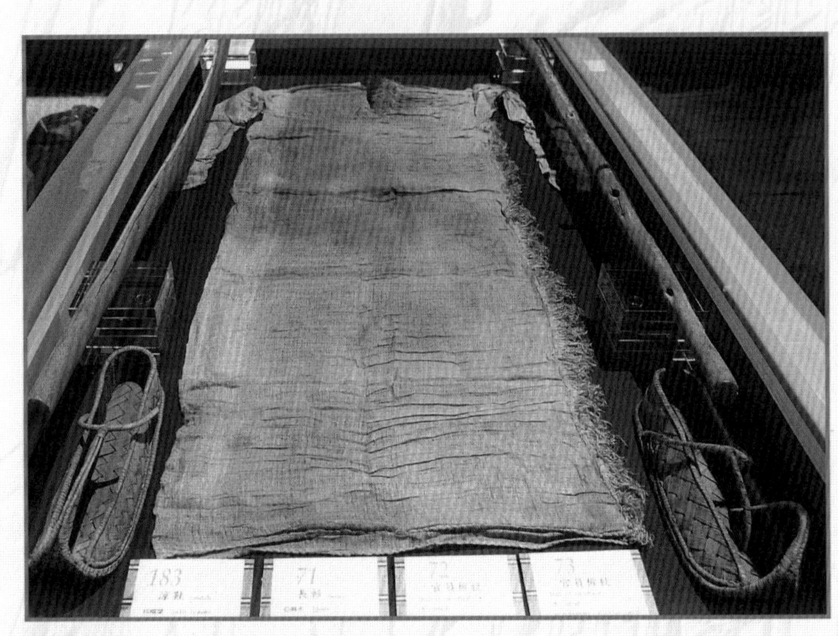

古埃及的麻布衣物和凉鞋。

化妆保养

古埃及人很注重化妆保养，用剃刀和镊子除去身上多余毛发，用眼影膏化妆，提炼植物油来保养皮肤。

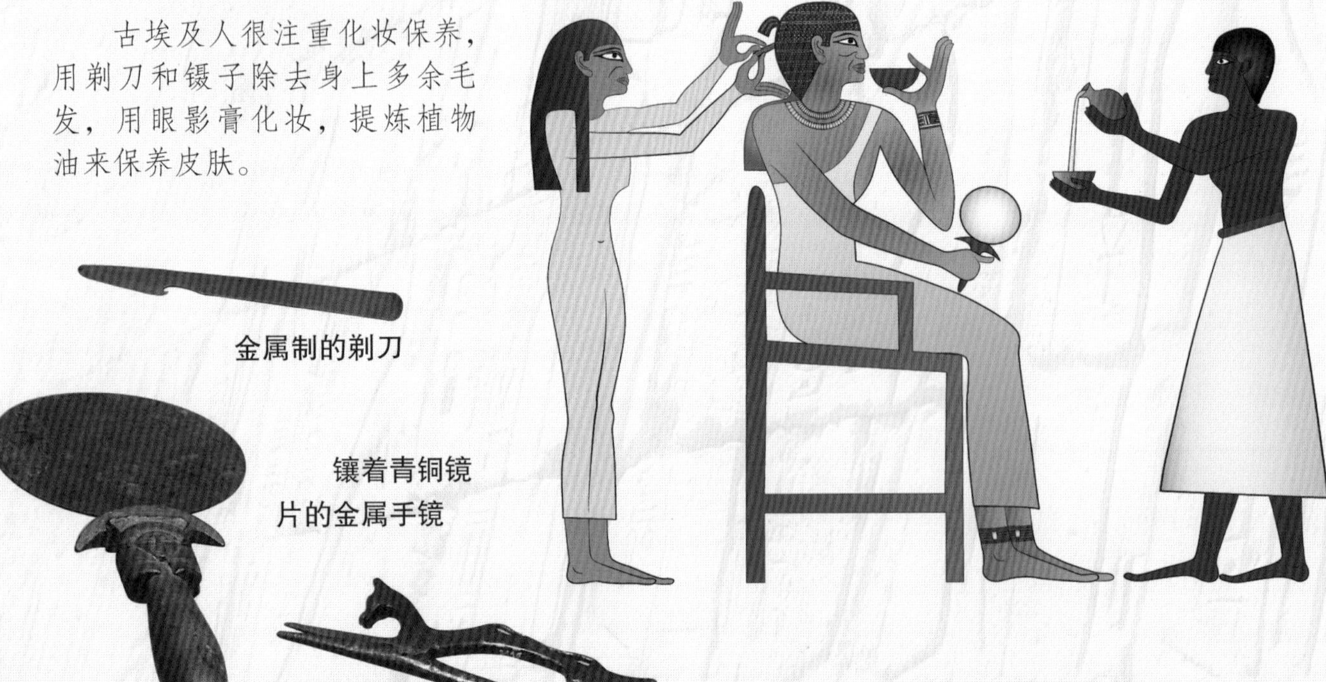

金属制的剃刀

镶着青铜镜片的金属手镜

马造型的剃刀

日用器皿

古埃及平民多用陶器，只有达官贵人才会使用青铜器等金属器皿，或是雪花石材质的器皿。

这是一个金属制的碗，具有悬吊式把手，把手旁有棕榈叶做装饰。

这是一个陶制的罐子，上面装饰着螺旋图形。

这是贵族们使用的水壶，以肋骨图案做装饰，壶身鼓起呈球形。

这是用蓝色珐琅做成的杯子，蓝色是新生和生命的象征。

卓越的艺术成就

从出土文物中，人们发现古埃及艺术成就相当惊人，仔细欣赏他们的绘画、雕刻、珠宝工艺等，真是令人叹为观止！难怪吸引了非常多的考古学家投身研究，普通大众也深深为之着迷。

独特的艺术

古埃及的绘画中，人像的头和下半身经常画的是侧面，肩膀与上半身却是正面，画法非常独特。雕刻除了以神或死者为主角外，多以日常生活为题材。

复活之神奥西里斯的浮雕。

古埃及的文字

古埃及文字是一种象形文字，约于公元前3100年出现，比中国夏代还要早。古埃及社会，识字是统治阶级的特权，多数人都是文盲。

这是酒壶碎片，上面留有古埃及文字。

左图是古埃及的文人，以典型的书记官坐姿，坐在方形石板上。

珠宝首饰

古埃及人不论男女都喜欢佩戴色彩鲜艳的项链、戒指和手镯等装饰品。饰品上常有各种护身符或幸运符图形。

用金丝制成的耳环，镶着两颗深红色的宝石。

由细密金线编成的项链，悬挂石榴花坠子，中央是镶宝石的金盘。

有蓝色亮光的釉陶手镯。

镶有天青石的铜制戒指。

有苍蝇、金龟子和葡萄图案坠子的黄绿色玻璃珠项链。

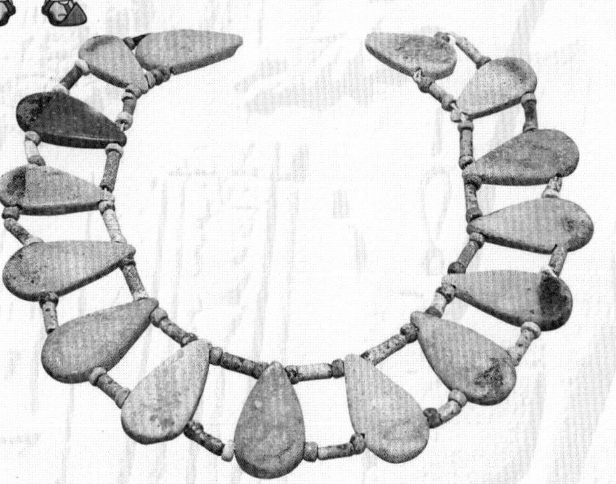

用 15 个水滴状的坠子穿成的釉陶项链。

铜器的应用

进入博物馆参观，会发现古代人最早开始使用的金属器具是铜器。人类从石器时代之后，经历了数千年的青铜器时期，才进入到铁器时代，而现在博物馆保留的很多都是青铜器，因为青铜器不容易锈蚀，比晚期才发展出来的铁器更容易保存。

考古学家从探查中发现，公元前 8000 年前的新石器时代，人类已经有使用天然铜矿的记录。纯铜矿带有红色光泽，被称为红铜。红铜材质软，容易塑形，而且比石头坚硬，不易破碎，所以，远古人类将红铜锤打成各种工具。

图片作者：woaiss / Shutterstock.com

石器时代人类最开始使用的是纯铜，又被称为红铜，用石斧就可以敲下红铜矿石。红铜可敲打塑形，且不易碎裂，容易制成器具。

盛行一时的青铜器

考古学家们从出土的古代文物中发现，我国从4000多年前的夏朝，已经开始使用铜器。那时候使用的铜器，主要是从矿石中取得纯铜，再打造成的器具。但是，红铜的质地软，制作出来的器物硬度不够。后来，人们在纯铜里加入了锡，做成铜锡合金，也就是青铜。青铜的熔点比纯铜低，硬度比纯铜高，这使得青铜器的塑形更容易，硬度也有所增加，所制造的器物更实用。我国古人后来在青铜中加入铅、锌和铝等不同的金属，增加青铜的硬度、耐磨性和防锈性。因为青铜的热传导性好、容易塑形，而且容易取得，因此广泛用于制造容器、乐器和装饰品，后来还用来制造金属货币。一直到铁器的出现，铜器才逐渐被取代。

铜的熔点较高，约为1083摄氏度，加入锡后，合成为青铜，熔点可降至810摄氏度。青铜的熔点低，熔化后，易于灌入模具中塑形。

青铜比红铜坚硬又耐磨，所以在铁出现以前，被广泛地用来制造各种兵器。加入锡以后的铜合金，氧化后表面呈现青灰色，因而被称为“青铜”。

周朝时，使用青铜制造货币的技术已经十分纯熟。

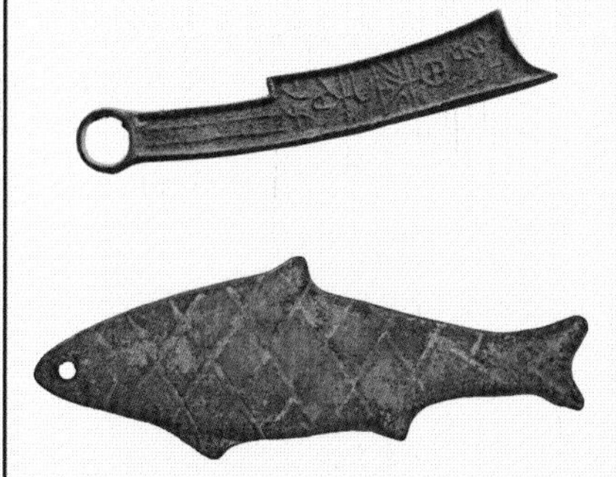

利用青铜制造不同大小和长短的乐器，可以发出不同的乐音。

青铜的导热效果很好，常被用来制作成食器或炼制丹药的丹炉。

商朝和周朝的青铜爵杯是身份地位的象征，只有君王和贵族才能使用爵杯饮酒。

黄铜合金的应用

黄铜的主要成分是铜和锌，它的色泽金黄，更像黄金，不过，随着锌含量的不同，黄铜色泽会产生不同的变化。当黄铜中铜含量在 62% 时，熔点约为 934 摄氏度，铜含量越高，熔点也越高。而当锌含量越高时，电导率和热传导率则逐渐降低。不同的铜合金特色各异，打造各种器物时可选适合的铜合金，使铜器质量更佳。

黄铜价格便宜、色泽美观，也容易锻造加工，制作成乐器时，音色十分优美，所以许多管乐器都使用黄铜制作。

明朝时已经可以大量制造黄铜，因此明清时期也使用黄铜制造货币，但是黄铜的熔点比青铜高，冷却后的收缩率也比较高，反而增加了铸币难度。

古代青铜、黄铜钱币

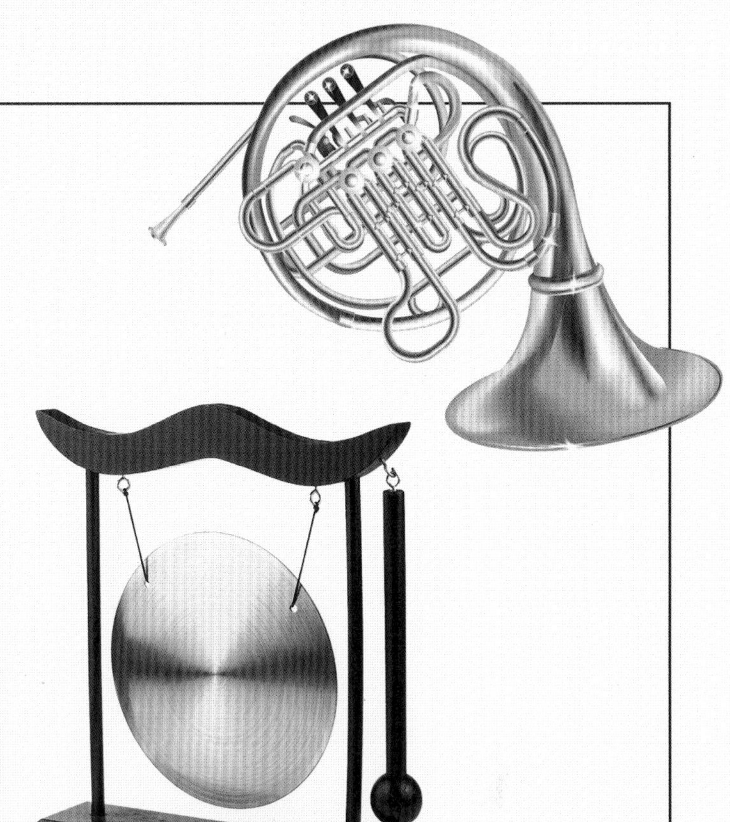

黄铜音色悦耳，外表美观，不易锈蚀，就算氧化后也呈现很有质感的金铜色。

黄铜的导热性好，经常被用来制作食器。

现代用途广泛的铜

当人类发现电以后，因为铜的导电性仅次于银，价格又比银便宜许多，再加上铜的延展性极佳，所以铜被大量使用在电线和电路板上。现代工厂所需要的各种高导热性、防锈、耐磨的锅炉、水管和散热片，经常也使用铜合金。铜可以说是现代科技产品制造中不可或缺的金属。

图片作者：T photography / Shutterstock.com

铜制酿酒器能去除发酵时的杂质与不良气味，并且作为发酵的催化剂，能酿造出气味最棒的酒类。

铜的延展性仅次于金和银，导电性仅次于银，价格却远低于这两种金属。铜可以先压制成薄片，然后再制成电线，铜线仍是现今最主要使用的电线材料。

铜的导热性佳、受热均匀，不论是古代或现代都普遍使用铜制造烹饪器具。有名的铜板烤肉，就是利用铜这种特性。

铜是可以百分之百回收再利用的金属，所以虽然使用广泛，蕴藏量又比其他金属少，但价格却不会很昂贵。

酷似黄金的黄铁矿

因为黄铁矿酷似黄金，所以又称“愚人金”哟！

黄铁矿是二硫化亚铁的无机盐矿，含有 46.6% 的铁和 53.4% 的硫，是一种相当普通的矿物，分布极广。黄铁矿具有金属光泽，呈铜黄色，不透明，有黑色条痕，容易生锈呈现红色。用硝酸可以使黄铁矿变色及溶解，盐酸则不会。

黄铁矿

页岩

黄铁矿形状多样，多为块状或八面体结晶，常与其他种类的硫化矿物共同出现，在页岩、砂岩等岩层中，也有发现。

金矿

黄铁矿主要产在日本、西班牙、意大利、挪威等国家和地区。黄铁矿可以用来制造硫酸。由于黄铁矿和黄金颜色相像，一般人很容易混淆，但是只要经过燃烧，结果自然分晓。燃烧黄铁矿时，硫黄会溢出，残余的便是铁渣；燃烧黄金则不会改变，正所谓“真金不怕火炼”！

黄铁矿的结晶形状很完整，有立方体、八面体，还有五角十二面体。

成语中的科学——点石成金

点石成金也可写成“点铁成金”，有化腐朽为神奇的意义，可比喻一篇文章经过修改后变成佳作，或将原来轻贱的东西改变为很有价值的东西。

在童话或传奇故事中，要把一样东西变成黄金似乎是一点儿也不困难，只要用神奇的棒子轻轻一挥就可以办到了。但在现实生活中，人们努力很久，想找出把东西变成黄金的方法，一直都不成功。到底金、银、铁、石头等这些东西有什么不同？它们之间可以互相转变吗？

尽管世界上的物质种类非常多，但是科学家们相信所有物质都由一种或多种元素组成，而每一种元素则是由许多相同的小粒子组成的，化学变化中的最小粒子就称为原子。

原子长什么样子呢？看了下面的原子模型图，你会发现原子并不是实心的小粒子。原子由原子核和绕核运动的电子组成。原子核由带正电的质子和电中性的中子组成，而外围广大的空间有带负电、数目跟质子一样多的电子在运转。质子和中子数量的不同，决定了该原子属于哪一种元素。告诉你哟！现在科学家们已经可以将原子的成分重新排列组合，将一种元素转变成另一种呢！也就是说，将来“点石成金”可能不再只是个梦想而已。

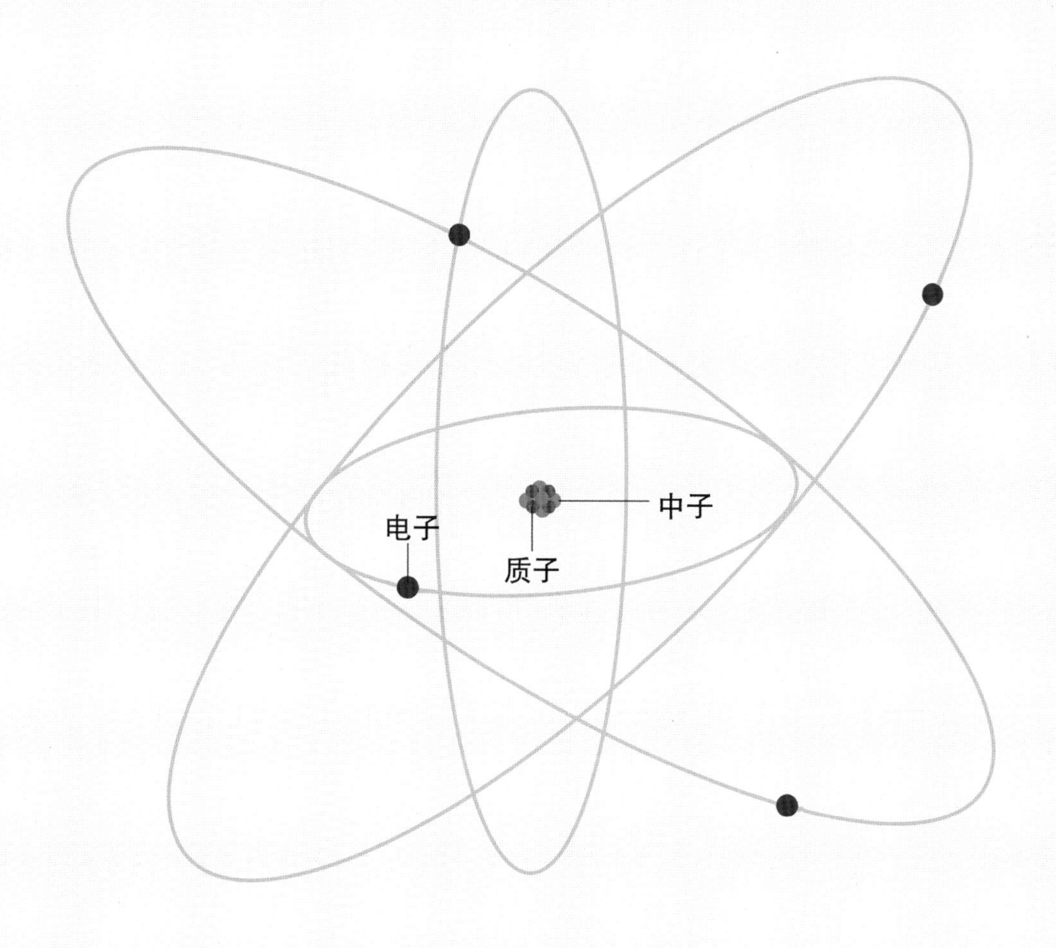

原子模型图

挖掘梦中城市的海因里希·谢里曼

“终于可以实现童年的梦想了，把沉睡两千年的特洛伊城从地下唤醒了！”

两鬓略见斑白的海因里希·谢里曼兴奋地望向爱琴海，凌厉的寒风呼呼地吹，仿佛也在为他庆贺呢！

一本书启发的梦想

“大家来拿圣诞礼物吧！”

8 岁的谢里曼获得一本《儿童世界史》，这是一本专门为儿童编写的世界历史书。

从小就对古代事物特别感兴趣的谢里曼，立刻被书中的故事和图画吸引住了，尤其是 3000 多年前希腊和特洛伊的战争更是让他好奇。

“等我长大后，一定要去特洛伊城，看看这些英雄打仗的地方。”

“傻孩子，特洛伊城早就消失了，画画的人是凭想象画的，就算还在，也不知道被埋在哪里呢！”

虽然父亲这么说，可是谢里曼仍然对特洛伊城怀有无限的憧憬。

“我一定要把它挖出来！”

坎坷的成长过程

谢里曼在 1822 年出生于德国北部的一个小村落，由于家境非常贫苦，14 岁就辍学了，在一家酒店打杂赚钱。

“小鬼！你听得懂希腊语吗？”

一天，酒店闯进来一个酒鬼，大声朗诵描述希腊和特洛伊战争的史诗，这首诗据说是 2000 多年前希腊诗人荷马所写的，被认为是欧洲古典文学中的杰作。

“特洛伊城！”

童年的梦想一下子又回到谢里曼的心中。

“我一定要更努力工作，存一笔钱，才能去挖特洛伊城！”

不幸的是，谢里曼因为过度劳累而生病，被老板辞退了。

不久，他在船上做侍者，不巧船在第一次航行中就出了事故，于是他又失去了工作。

生活的困苦丝毫难不倒谢里曼，他利用所有的空余时间学习十几种语言，而且每一种都学得又快又好呢！

“总有一天，我要用希腊语来读《荷马史诗》！”

经商致富献身思古情怀

“糟糕！有谁会说俄语吗？”

谢里曼后来工作的地方临时需要派一名代表前往俄国，他平日苦学所得终于可以派上用场了！

到了俄国以后，谢里曼渐渐成为很成功的商人，财产也越积越多。

“是学希腊语的时候了！”

怕自己一学起语言就废寝忘食，甚至顾不得做生意，谢里曼决定等到有足够的财力去挖特洛伊城时，才开始学习希腊语。

“你真是个语言天才！”

只花了半年时间，谢里曼就把艰深的希腊语说得非常流利。

“梦想终于可以实现了！”

谢里曼根据《荷马史诗》，判断特洛伊城的位置应该在今土耳其境内的希沙立克山丘上，于是雇用了100多个工人开始进行大规模的挖掘。

“挖到的任何宝物绝不私自收藏！”

有了谢里曼的保证，土耳其国王才允许他在该地多次进行挖掘。

特洛伊城出土了！

“挖到了，挖到了！”

谢里曼的童年梦想终于在40多年后实现了。

“居然有人用一生去实现一个童年的梦想，真是不可思议啊！”

“哼！没读过几年书就敢研究考古学，谁知道那些东西是真的还是假的？”

谢里曼对于各种赞美或毁谤都不加理会，只是继续对许多古迹进行挖掘，并且不断地学习各方面的知识，以行动与事实来证明一切。

1890年，谢里曼因为过于劳累而病逝。但是他凭着对古代文明的热忱和努力，发现了许多珍贵的遗迹和宝物，使我们对古代文化有了深远的了解。不求名利，只为实现童年梦想的谢里曼，始终没料到他自己的成就居然有这么大！

沙漠画家的糊涂画

凯西是一个沉迷于沙漠画的旅行画家，有一天他又选了一处景观，准备画一幅《沙漠的白昼》。经过一天一夜画作终于完成了，原本看来了无生机的沙漠，在他的笔下竟然有许多动物在活动。爱开玩笑的凯西，把昼伏夜出的沙漠动物也画了进去，你知道下面的动物中哪些是白天怕热躲起来的吗？

猫头鹰
蝙蝠
老鹰
骆驼
蛇
沙漠跳鼠
答案：蝙蝠、猫头鹰、沙漠狐、沙漠跳鼠、蛇

小牛顿科学馆

全新升级版

小牛顿科学馆
电

小牛顿科学馆

小牛顿科学馆

小牛顿科学馆
石油·煤

小牛顿科学馆
黄金

小牛顿科学馆
矿石

小牛顿科学馆
细菌和药

小牛顿科学馆

小牛顿科学馆
照相机

小牛顿科学馆
集装箱船·帆船

小牛顿科学馆
时间和钟表

小牛顿科学馆
水坝

小牛顿科学馆
茶

小牛顿科学馆

小牛顿科学馆
玫瑰

小牛顿科学馆
竹子·梅子

小牛顿科学馆

小牛顿科学馆

小牛顿科学馆
独角仙

小牛顿科学馆
胡蜂

小牛顿科学馆

小牛顿科学馆
翠鸟·鸬鹚

小牛顿科学馆
鸡

小牛顿科学馆
鸵鸟·始祖鸟

小牛顿科学馆
企鹅

小牛顿科学馆

小牛顿科学馆
河马·儒艮

小牛顿科学馆

小牛顿科学馆

小牛顿科学馆

小牛顿科学馆

全新升级版

严谨 来自台湾地区的科普读物《小牛顿》曾荣获26个出版奖项，三度荣获“金鼎奖”；本套书经海峡两岸科学家、科普专家、教育专家审订，内容严谨

丰富 全套书共60册，涵盖10个领域，近百个主题，内含超过2000幅高艺术水准的精细插图，深度与广度兼具，提供丰富、系统的科学知识

立体 关注科学的衍化和人类文明的进程，扩展知识的内涵与外延，通过漫画、故事、游戏等形式，讲述有体系、有趣味、有历史纵深的科学

实用 从孩子的实际生活经验出发，通过科学实验、动手制作、生活妙招、急救知识，让孩子掌握所需技能，提高解决问题的能力

探索 强调自然观察与动手实践，培养孩子掌握“认识—体验—操作—思考”的科学学习方法，激发孩子探究知识的兴趣和探索世界的精神

延展 全套书配有超过100个科学微视频，扫描书中二维码可便捷观看，利用多媒体延伸阅读，拓展孩子的视野

“地球的资源”专辑（共6册）

绿色印刷产品

本书采用绿色环保印刷

陈列类别◇科普百科

定价：30.00元

小牛顿科学馆

全新升级版

可点读

台湾牛顿出版股份有限公司 编著

矿石

➤大地的宝藏——矿石

➤走，钟乳石洞探险去！

➤神秘的石头——玛瑙

接力出版社 Publishing House | 全国百佳图书出版单位 Top 100 Publishing Houses in China

内含精彩视频二维码

小牛顿科学馆 全新升级版

“小牛顿科学馆（全新升级版）”来自海峡两岸具有影响力的原创科普杂志《小牛顿》，《小牛顿》曾获得26个出版奖项，三度荣获“金鼎奖”。本套书共60册，包含10个专辑，分别是：宇宙的秘密、神奇的大自然、餐桌上的食物、美好的生活、哺乳动物、卵生动物、亲水动物、奇妙的植物、地球的资源、改变生活的发明。

本套书经动植物学、地质学、古生物学、天文学、营养学等多个领域的科学家和科普专家审订，内容严谨；同时吸纳幼儿园园长、小学校长、名师的建议，以使本套书与当今科学教育接轨。

科学专家顾问团队（按姓氏音序排列）

教育专家顾问团队（按姓氏音序排列）